첫사랑
때문에
제주에
갔었어

곽민주

스튜디오 한다스

#프롤로그

살아오면서 '사랑'에 대해 깊게 생각해 본 적이 없다. 스무 살에 축제 때 만나 대뜸 나를 좋아한다고 고백해오던 수줍고도 귀여운 남자애의 모습에 절반은 호기심으로 고개를 끄덕이며 마음을 받아주었다가 한 달도 되지 못해 은근하게 허리를 감싸오던 그 친구에게 '너 이 새끼야, 지금 뭐 하는 짓거리야?'를 외치며 호되게 상처를 주고 끝내버린 얼렁뚱땅한 일화 이후로는 더 그랬다. 처음엔 그 친구도 나처럼 게임을 하듯 가벼운 마음이겠지 생각했는데 그게 아니라는 걸 알게 된 이후로는 이성과 친구 이상의 관계를 만들어가는 일이 조심스러웠다. '너 그렇게 사람 마음 가지고 장난치면 안 돼. 너도 언젠가 사랑에 함부로 당하는 날이 올 거야.' 씩씩하게 자란 첫째(=나)의 불주먹에 명치를 얻어맞으며 마법처럼 주문을 걸어 놓은 그 애(막내 아들이었다)의 한마디는 정말 고약한 마녀의 저주처럼 오랜 기간 동안 이성관계에 있어서 나에게 콤플렉스처럼 작용했다. 그 친구는 분명 좋은 아이였을 텐데 당시 나는 친구와 연인 사이의 간극을 이해하지 못했고, 도무지 타인을 사랑하는 마음이란 게 뭔지 알지 못했던 미성숙한 어른이었다. 그렇게 지금까지도 사랑은 나의 약점 중에 하나, 수능 점수보다 낮은 본격 취약 영역이다.

조금 엉뚱하고 바보 같은 생각일지도 모르겠지만, 그 일을 겪은 이후로 나에게 '사랑'은 시간이 조금 더 흐르고 흘러 서른쯤, 그때쯤이면 진짜 어른이 되어 있을 테니까. 정말로 내가 어떤 사람인지를 잘 알고 있을 때, 그리고 모든 것을 내어줄 수 있을 때, 감당할 수 있을 만큼의 책임을 질 수 있을 때 한 번 정도만 해도 되지 않을까 하는 생각을 어렴풋이 했었던 것 같다. 그때까지 스스로 서두르지 말자고 다짐했다. 정말로 내가 좋아할 수 있을 것 같은 사람, 만지고 싶은 사람, 단 하루만 스쳐 지나가더라도 어떤 확신이 드는 사람, 한 번 시작하면 끝이 보이지 않아서 두려움이 먼저 앞설 것 같은 사람, 그런 사람을 만나면 절대로 기회를 놓치지 말아야겠다고 생각했다. 사춘기 여드름을 치료해 준다는 물푸레나무의 잎사귀를 잡고 늘어지듯 그렇게 온 마음을 다해서 나의 세계에 주저앉혀야겠다고 결심했다. 나는 나를 좋아해주는 사람보다는 내가 좋아하는 사람을 만나고 싶었다. 머리카락을 곱게 늘어뜨린 채 높은 탑에 갇혀 운명을 기다리는 얌전한 공주보단 가시넝쿨을 헤치고 나아가며 사랑을 쟁취하는 멋진 기사가 되고 싶었다. 그렇지만 그렇게 마음을 내어 주고 싶은 사람은 좀처럼 보이지 않았고, 그래서 더 한눈에 알아볼 수 있을 거라고 주제넘게 생각했지. 그것이 내가 가진 사랑에 대한 환상, 결국 '허영'이었던 것 같다.

언젠가 분명 그런 사람은 찾아왔던 것 같다. 짧은 인연이었지만 영문도 모른 채 동생을 생각하듯 아끼게 되는 그런 사람이 있었어. 좋아지는 이유를 아무리 이성적으로 생각해 보아도, 명확한 이유가 없어서 더 이상

했던 사람, 자꾸만 말을 걸고 싶었던 사람, 동글납작한 얼굴선과 단단한 몸피를 쥐어보고 싶다는 생각만으로도 하루가 빠르게 흘러가버리게 만드는 사람 줄곧 내 이야기만 늘어놓고 그 사람에 대해서는 아는 게 아무것도 없었는데, 그걸 더 알아내지 못하더라도 다른 조건은 눈에 들어오지 않았을 정도로 나는 그 사람을 깊이 알고 싶었다. 나답지 않게 타인에게 관심을 쏟으며 그 사람의 앞에 놓인 장애물을 모두 치워주고 싶었다.

그렇지만 첫사랑은 이루어지지 않는다는 만인의 법칙처럼 내 사랑은 서사 구조의 기본이라는 갈등이나 절정이 단 한 번도 없이 완벽한 '결말'을 맺었고, 나는 마치 한정판 굿즈를 손에 넣지 못한 덕후의 마음으로 실의에 빠져 있었다. 오래전 그 막내 아들이 나에게 걸어 둔 마법이 본격적으로 작용하기 시작한 것이다. '너도 함부로 사랑에 당하게 될 거야.' 그 애의 목소리가 머릿속에 맴돌고 있던 무렵, 앞두고 있던 모든 일이 한순간에 뭉개지듯 미끄러지기 시작했고, 회사에서는 요즘 업무 효율성이 왜 이렇게 떨어지느냐며 꾸지람을 들었다. 하다 못해 집 비밀번호를 잊어버리는 기이한 현상을 경험하기도 했다. 이런 것도 '사랑'에 해당되는 건가? 나는 서른이 되어서야 나답지 않은 모습을 발견하며 무척이나 나를 낯설어했다.

'너 안되겠다. 동생이랑 머리 좀 식히고 와!'

그러던 어느 날, 엄마는 이불 속에 틀어박혀 있던 나를 일으켜 세우며 동생을 불렀다. 그제서야 수줍은 얼굴로 내 이름의 영문 이니셜 로고가 새겨진 카드를 내밀었다. 아침에 급하게 제주행 특가 항공편을 예매했다는 것이었다(나는 평소 현관 콘솔에 애플워치나 카드, 신분증, 열쇠 따위의 중요한 것들을 놓아둔다) 심지어는 회사에는 4일 동안 휴가를 내야 하는 일정이었는데 지난 5년간 회사를 다니면서 나는 한 번도 이렇게 긴 휴가를 내 본 적이 없었다. '제주에 간다고. .?' 처음엔 당황했지만 동시에 솔깃한 제안이긴 했다. 그게 바로 출발 3일 전이었던 것 같다. 그때까지만 해도 나는 여행 준비는커녕 비행기 탑승 수속 절차도 알지 못했다. 10년 넘게 비행기를 타본 적이 없기도 하거니와 취업 후 친구들과 1년에 한 번 정도 주말 국내여행을 다녀온 것을 제외하고는 여행 경험이 전무했기 때문이었다. 그렇게 나는 갑작스레 회사에 휴가를 내고 제주행 티켓을 손에 쥐었다.

#애월

공항에 도착하자마자 뜨거운 여름의 열기가 훅하고 끼쳤다. 조금만 걸어도 바다가 코앞이었지만 습함보다는 건조한 바람과 따가운 햇볕이 팔등을 스쳤다. 오멍, 가멍. 공항을 나서며 스쳐 지나가듯 눈에 담겼던 팻말의 문구가 기억에 남는다. 나는 내가 비행기를 타고 이동을 했다는 사실이, 그리고 지금 한국에서 가장 아래쪽까지 내려왔다는 사실이 그저 신기했다. 무엇보다 서울에서는 볼 수 없었던 야자나무가 군데군데 자라나 있었던 제주는 마치 이국적인 풍경을 연상시켰다. 하늘은 또 얼마나 푸르고 높던지. (이런 말을 하는 내가 무척이나 촌스럽게 보일 거라는 사실을 알고 있지만) 층층이 쌓이고 흩어지는 구름만 해도 입을 헤벌리고 감상할 수밖에 없었다.

"누나, 정신 차려. 우리 버스 타야 해."

조금 전부터 휴대폰을 이리저리 들여다보며 헤드폰을 낀 채로 다음 일정을 알아보던 동생은 조금 긴장한 듯한 모습으로 내 옷깃을 잡아끌었다. 그도 그럴 것이, 이번 여행의 총 책임자이자 가이드를 맡은 이는 동생이었기 때문이었다. 여행 출발 전, 동생은 여행 일정을 공유할 수 있는 어플을 내게 보내주었고 자신만의 여행코스를 짜 놓긴 했으나 여행을 떠나기 전 버스번호와 버스의 출발시각, 숙소나 기타 활동의 모든 것을 스터디한 후 여행을 즐기는 나의 성향(극강의 ENTJ다)과 달리 대략적인 계획만 세워놓고 아무것도 준비하지 않은(극악의 INTP다) 동생은 그제서야 부랴부랴 첫 일정의 구체적인 상황을 알아보는 듯했다.

그러니까 동생은 공항에 도착하자마자 숙소에 짐을 맡기고, 여행 첫날 내내 자전거를 타고 섬을 돌아볼 계획이었는데 숙소까지 어떤 버스를 타야 하는지, 그 버스는 언제 오는지, 배차 간격은 어떻게 되는지, 자전거는 어디서 어떻게 빌릴 건지, 어느 코스를 돌아볼 것인지에 대한 생각은 전무했다는 것이다.(동생과 나는 이 일을 계기로 여행 내내 냉탕과 온탕을 번갈아 들어왔다 나오곤 했다.)

그때까지 그러한 전후 사정을 알지 못한 나는 (그래도 동생이 그 정도의 무계획형 인간이라는 사실을 믿지 않았다) 아무것도 모른 채 머리에 얹어두었던 선글라스를 고쳐 쓰며 입고 있던 니트의 소매를 걷어 올린 채 선크림을 바르기 시작했다. 평소 낮 시간에는 주로 실내에만 머무는 데다, 외출 자체를 즐기는 유형의 인간은 되지 못했기 때문에 이 정도의 햇빛을 예상하지 못했던 것 같다. 그 사이 동생의 낯빛은 점점 굳어갔다. 어... 어... 동생은 공항의 왼쪽과 오른쪽 방향을 오가며 기다리는 버스정류장을 자꾸만 바꿨다. 그 사이 여러 대의 버스가 우리의 앞을 훅하고 지나갔고 나는 점점 장녀 특유의 촉(?)으로 수상함을 감지하기 시작했다.

"왜? 뭐가 잘 안돼?"

"어. 버스가...잠시만."

　평소 같았다면 '이 새끼야, 여행에선 시간이 금인데 지금 뭐 하는 거야.'로 시작한 잔소리를 퍼부었겠지만 나는 그날만큼은 입을 꾹 다물고 동생의 옆에서 두 귀에 에어팟을 꽂은 채 그저 엉덩이를 살랑살랑 흔들며 동생이 당황과 방황을 오가는 모습을 부드럽게 바라보았다 평소 여행 전에 대략적인 정보를 찾아보는 편이었지만 이번 여행은 나에게도 조금 달랐다. 워낙 많은 일이 한번에 겹쳐 있던 시기에 급작스럽게 떠난 여행이기도 했고, 여행 일정에 대해 세세하게 알아보기도 버겁다는 생각이 들 정도로 당시에 나는 많이 지쳐있었다.

'아, 모르겠어. 될 대로 되라지.'

　그렇게 한참을 지도 앱을 켜둔 채 이리저리 왔다 갔다 하던 동생은 갑작스럽게 홀로 달려가더니 (지 혼자) 버스에 올라타며 나를 향해 손짓했다. 뭐? 이거 타는 거야? 갑자기? 나는 공항 벽면에 기대어 선 채 멍을 때리다 정신을 차리고는 부랴부랴 버스에 올랐다. 버스 기사는 동생과 나를 번갈아 쳐다보더니 입꼬리를 슬쩍 올리며 미소지었다. 예전부터 그런 반응은 익숙했던 것 같다. 우리 남매는 외형적으론 닮지 않았지만 이런 상황들은…누가 봐도 남매일 수밖에 없을 테니까.

숙소에 짐을 맡긴 뒤 또다시 버스를 타고 한참을 걸었다. 한낮의 빛이 너무도 강렬해 미리 발라둔 선크림이 지워지다 못해 목을 타고 줄줄 흐르는 지경이었다. 심지어 동생은 이마를 타고 흘러내리는 땀을 주체하지 못하고 엉엉 울 듯 흰 눈물을 흘리고 있었다. (조심해야 한다며 내가 박박 몇 겹으로 선크림을 발라두었다) 그렇게 손등으로 열심히 땀을 훔치며 걷다 약과 가게를 발견해 굴 약과와 땅콩 약과를 사 먹고 민가인 것 같은 조용한 아파트 단지를 지나고 지나 도착한 자전거 대여점. 내가 생각한 자전거 대여점은 평범하고 작은 일반 자전거였는데, 이 놈이 어디서 이런 정보를 알아 왔는지 그곳에 있던 자전거들은 하나같이 산.악.용 같았다. 알고 보니 스쿠터와 전기자전거, 그리고 진짜 산악용 자전거 위주였다.

"누나가 탈 수 있을랑가? 자전거 몇 년 만에 타요?"
"음.. 코로나19 이후로는 사실 처음 타요."
"기어 어떻게 만지는지 알아요?"
"기어… 가 뭔가요?"
"어이, 동생! 누나랑 자전거 타기로 협의한 거 맞아?"

친절한 자전거 아저씨의 도움으로 나는 내 몸집보다 큰 자전거를 질질 끌며 아파트 단지를 오가는 연습을 했다. 처음엔 휘청휘청하기도 하고, 생각보다 무거워 자전거에 정복된 수준이었지만 한때 자전거를 타고 동네를 누볐던 무법자의 정신이 되살아나는지 점점 페달을 밟는 데 속도가 붙었다. 동생은 이미 자전거가 참 좋다며 얼굴에 싱글벙글 꽃이 피어 있었다. 그렇게 우리는 헬멧을 머리에 꾹 눌러 쓴 채 바닷가로 향했다. 그때에도 내가 어디쯤 와 있는지 알지 못했는데 동생을 따라 도착한 곳에 바닷길을 따라 라이딩을 즐길 수 있는 코스가 마련되어 있었다. 무엇도 배울 수 없고 같은 풍경만 정처 없이 이어지는 것이 전부였지만 어딘지 마음이 씩씩하게 불타오르는 것만 같았다. 바위에 몸을 맞댈 때마다 부서지는 파도와 맑고 투명한 물빛에 반사되는 빛, 유영하듯 흔들리는 선체와 그 위를 항해하는 새, 그리고 그 손을 맞잡은 채 그것들을 바라보고 있는 사람들까지. 모든 것이 마치 한 편의 영화를 보듯 낭만적으로 보였다. 그렇다. 그때까지만 해도 나는 닥쳐올 시련을 알지 못하고 그저 붕 뜬 마음으로 여행의 환상에 젖어 있었던 것이다.

그날 나는 내가 어디로 가고 있는지, 지금 내가 어디에 있는지 알지 못했다. 서울이라면 도로 위의 표지판과 간판명, 지하철역명만 보더라도 금방 알 수 있었던 나의 위치를, 그곳에서는 도무지 알 수가 없었다. 그저 나아갈 때마다 나타나는 새로운 풍광들을 감상하는 것이 그곳에서 내가 할 수 있는 일의 전부였다. 우리는 그날 마음이 그만두고 싶을 때까지, 자전거 안장에서 그만 내려와도 좋겠다고 생각할 때 자전거를 놓아

두고 숙소로 돌아가기로 했다.

내 마음 가는대로 하기.

살면서 그런 선택을 해본 적이 얼마나 있었을까? 페달을 밟는 동안 나는 끊임없이 나에게 질문했다. 여기서 더 가도 되나? 조금 쉬지 않아도 되나? 숙소로 돌아갈 방법을 알지 못한 채로 이렇게 멀리 떠나와도 되나? 나는 돌아올 길을 알기 위해 어리석게 빵 조각을 땅에 떨어뜨리며 걸어가는 동화 속 주인공처럼 부질없는 속앓이를 하는 데 익숙한 사람이었던 것 같다. 내 얼굴 표정에서 걱정이 내비쳤는지 한참을 앞서가던 동생이 문득 자전거를 세우고는 허리춤에 손을 얹은 채 내게 손짓했다. 동생의 뒤편으로는 두 개의 갈림길이 있었다. 모래사장이 펼쳐진 해안길과 섬의 가운데로 향하는 것 같은 마을길. 동생은 내게 선택하라고 했다. 지금 원하는 것이 무엇이냐고. 누나가 선택한 길로 가보자고.

"야.... 나 진짜 이번에 아무것도 몰라."

"뭘 아는 것 같아서 물어보는 거 아니야.

그냥 누나 원하는 대로 하라고."

"너 진짜 무식하게 여행하는구나."

"이 정도 사소한 선택 정도는 편하게 끌리는 대로 해도 되잖아."

나는 그제야 내 앞에 펼쳐진 두 개의 길을 천천히 보았다. 마을 길은

돌담이 죽 이어져 있는 데다 소담한 동네의 풍경을 감상하는 재미가 있을 것 같았고, 해안길은 말 그대로 제주를 온몸으로 느낄 수 있을 것 같았다. 그러니까 내 마음이 원하는 건 …… 나는 한참동안 두 갈래의 길 앞에 서서 그 무엇도 선택하지 못한 채 입술을 깨물었다.

서른쯤 한 번 정도면 해도 될 것 같다고 생각했던 그 사랑은 정말로 서른쯤에 찾아왔다. 나는 나를 좋아해 주는 사람보다는 내가 좋아하는 사람을 만나고 싶었고, 말이 무섭게도 나를 좋아해주는 사람과 내가 좋아하는 사람이 두 갈래의 길처럼 동시에 나타났다. 나를 좋아해 주는 사람은 나를 만나기 위해 늦은 저녁에도 달려왔고, 나는 내가 좋아하는 사람을 붙잡아 두기 위해 제법 오랜 시간이 걸리는 거리의 길이를 가늠하지 않았다. 마음 가는 대로 한번 해보자고. 예의 바른 첫째로 태어난 나는 무모하고 무례하게 그에게 연락 했고, 그 방법 또한 촌스럽고 기가 막혔을 것이다. 그렇지만 이상형에 가까웠던 첫인상은 차치하고서라도 그와 대화를 나누면 나눌수록 그저 그 친구와 함께 있는 시간이 즐거웠다. 더 많은 이야기를 나눠보고 싶었고, 그 사람의 세계를 조금 더 들여다보고 싶었던 것 같다.

우리는 꽤 비슷한 점이 많은 듯 보였지만 나는 그 사람이 사는 세계가 어쩐지 나와는 다른 세계 같다는 인상을 지울 수 없었다. 그는 타인에게 의지하거나 속내를 드러내기보단 주로 타인의 입장을 먼저 고려하고 경청하는 편이었다면 나는 효율적으로 타인의 어려움을 해결해 주려 노력하고, (주로 I와 친해서) 대화를 주도하거나 이끄는 편이었던 것이다. 그러니까 나는 좋게 말해 리더형 타입이었지만 날것의 시선으로는 지독한 자기통제광. 어쩌면 타인에게도 은근한 통제를 해오고 있었는지도 모르겠다. 나는 여태껏 내 마음대로 하는 것을 두려워했던 것 같다. 이곳에서 저곳 다음으로 가는 길엔 늘 상상 가능한 다음이 있어야만 했다. 규칙적으로 생활했고, 익숙한 것을 더 선호했다. 그런 내가 정말 손에 꼽을 수 있을 만큼의 사건으로(?) 내 마음 가는 대로 그에게 호감을 표현했던 것이다. 마음 가는 대로라고 했지만 당시 나는 무슨 근거 없는 자신감이 있었던 것 같다. 승산이 있다고 생각했다. 내가 매력적이라고 생각해서가 아니라, 어쩐지 그래도 괜찮을 것 같다는 보이지 않는 어떤 직감이 있었고 그래서 그와 나의 방향이 내가 생각했던 목적지와 다른 곳에 도달했을 때 나는 사람이 이렇게까지 속상해질 수 있나? 싶을 정도의 몹쓸 상태가 되었던 것 같다. 목적지를 잃어버린다는 건 흔치 않은 감각. 그렇지만 우리가 도달한 모든 곳이 결국은 길이 되는데 나는 나의 실패가 마치 회생 불가능한 종점인 것 마냥 굴었던 것 같다.

　　찰나에 그때의 기억들을 떠올리다 나는 해안길을 선택했다. 더 이상 뒤는 돌아보지 않았다. 동생은 지도를 살펴보더니 이쪽으로 가면 애월로 가는 거라고 했다. 애월. 나는 방송에서 많이 들어본 듯한 지명을 속으로 되뇌이다 고개를 끄덕였다. 우리는 서로의 배가 꼬르륵거릴 때까지 말없이 페달을 밟았고, 가는 길마다 오르막길과 내리막길이 반복

해서 나타났다. 여러 번 막힌 길을 향해 달리며 헤매기도 했고, 어둑어둑
해가 질 무렵엔 기어코 우당탕탕 넘어져 온 다리가 상처투성이가 되기
도 했다. 결국 자전거에서 내린 채 한쪽 다리를 절뚝이며 검은 파도의 소
리만 들려오는 바닷길을 따라 천천히 걸었다. 동생이 느린 템포의 노래
를 부르기 시작했고, 그건 내 동년배나 선배나 알 법한 곡이어서(이 놈이
군대를 다녀온 이후로 취향이 이상해졌다) 나 역시 분위기에 취해 노래를
따라 불렀다. 그러다 문득 어떤 생각이 머리를 스쳐 지나갔다.

'그렇지만 좋았어. 마음 가는 대로 해본 거. 그리고 이제 시작인 거야.'

우리는 그렇게 장장 8시간의 라이딩을 마쳤다.

#넥슨컴퓨터박물관

'세상이 0과 1로만 이루어졌으면 좋겠어.'

언젠가 그에게 건넸던 말이었다. 그는 내 말에 고개를 끄덕이면서도 끝내 갸우뚱하는 것 같았다. 나는 그가 나와 다른 종류의 사람이라고 생각했지만 때때로 그가 나의 이런 면면들을 볼 때마다 동의하지 않는 듯한 인상을 받았던 것 같다. 그는 세상에 0과 1만 있는 줄 알았는데 여러 숫자가 있음을 이제서야 깨달은 것 같았고, 나는 세상에 너무 숫자가 많은 걸 알아서 0과 1만 남겨두고 싶었다. 그건 생각보다 큰 차이라고 생각하는데, 나는 어쩐지 그가 기회가 생길 때마다 새로움을 찾기 위해 언제든 내 곁을 떠날 수 있는 친구라는 사실을 어렴풋이 넘겨짚지 않을 수 없었다. 남들에게는 땅에 자신의 무게를 박고 서 있는 바위로 보였을지도 모르겠지만, 흐르는 대로 흘러가는 것의 즐거움을 맛본 이들 특유의 빙하 같은 성정이 엿보였다는 것이다. 지금도 충분히 자유로운데, 자꾸만 '진정한 자유'를 부르짖으며 생의 소용돌이 밖으로 나갈 것만 같은 사람. 한 시절일 뿐인 타인의 일탈에 은근한 질투를 느끼며 과거의 영광에 오래 마음을 쓸 것 같은 사람. 내가 그에게 조급하게 굴었던 이유는 그러니까, 이제야 밝히자면 그가 변덕스러운 사람이라는 판단을 내렸기 때문이었다. (스스로는 어른스럽다고 여길지도 모르지만) 내게는 좋게 말하면 순수하고, 조금 더 직관적으로 이야기하자면 철없는 아이 같은 사람이었다는 뜻이다.

이십 대를 지나오며 나는 나의 생활과 선택을 조금 더 단순화시켰다. 일상부터 디지털까지 미니멀리즘을 실천했다고 봐도 되겠다. 물건의 개수를 줄였으며(나는 몇 년째 같은 컬러의 동일한 디자인의 옷이 여러 벌이고, 샴푸와 바디워시 대신 올인원제품을 선호하며 모자부터 수건, 바람막이, 잠옷까지 다기능성 또는 패커블 에디션에 광적으로 미쳐있다), 조급한 마음으로 물건을 미리 쟁이지 않았고, 살아오며 사소한 문제는 손해를 봐도 괜찮다는 생각으로 지냈던 것 같다. 성인이 된 이후로 내게는 수많은 선택지와 이곳에는 다 털어놓을 수 없는 복잡한 문제들이 엉킨 머리카락처럼 성가시게 이어졌다. 고등학교 때까지만 하더라도 차곡차곡 모았던 커피 쿠폰이나 매달 정기적으로 챙겼던 로드샵 세일 같은건 안중에도 없을 정도로 바빴으며, 시간적 여유보다도 그런 사소한 것들에 신경을 쓸 정도로 마음의 여유가 없었던 것 같다. 굵직하고 커다란 문제를 해결하기 위해선, 지치지 않기 위해선 사소한 고민들은 하지 않는 편이 좋았다. 이를 테면 오늘 옷은 뭘 입고 가야 하지? 점심은 뭘 먹으면 좋을까 하는 것부터 학점을 관리해야 하거나 성과를 내야 하는 프로젝트에서 타인이 나를 인간적으로 어떻게 생각하는지, 내가 어떤 평가를 받는 사람이되는지에 대해 애쓰지 않았다. 그렇게 나는 학과

수석을 하기도 했었고, 회사에서도 일잘러 팀원으로 손꼽혔지만 때로 친한 동기들에게, 팀원들에게 '로봇' 또는 '헤르미온느' 같다는 말을 매번 듣곤 했다. 그런 별칭으로 불리는 것이, 실은 유쾌하지 않았다.

사람들은 ENTJ 성향을 어떻게 생각할까? 대담한 통솔자. 리더 같지만 냉철하고, 기계처럼 일에 미쳐 있는 사람? 처음 MBTI 검사를 했을 때 나를 아는 지인들과 친구들은 모두 웃음을 크게 터트리며 격하게 고개를 끄덕였다. 타인의 감정보단 당장 눈앞에 있는 프로젝트를 더 중요하게 생각하는 사람? 공감성과 사회성은 제로인데 외향적인 성향 덕분에 사회성을 학습한 사람? 어느 정도는 인정한다. 학창 시절에도, 지금도 나는 사람들을 쉽게 믿지 않았고 내 주변의 , 친구들과는 얕고 넓은 관계를 유지했던 것 같다. 심지어 한 친구와는 고등학교 때부터 내가 솔직한 속내를 털어놓지 않는다는 이유로 여러 번 다투기까지 했다. 이 정도면 충분히 나에 대해 말한 거 아니야?라고 했지만 친구는 자꾸만 내가 부족하다고 했다. 그 친구는 결국 나를 떠나갔다. 그런 세월들이 겹겹이 쌓여 대학교 이후로는 솔직하게 말하자면 사람들이 사람들로 보이지 않았다. 사람들이 나를 로봇으로 봤다면, 나는 사람들을 인간 이하의 '짐승'으로 봤다는 얘기다. 내가 사람들을 그렇게 생각하게 된 데에는 조금 더 내밀한 이야기가 필요하니 여기까지 하는 걸로 하자. 그러니까 속상할 때에 기분을 푸는 방법은 일, 나에게 기쁨을 주는 것도 일, 사람들 사이에 녹아들어 감정의 희로애락을 경험하는 것보단 그냥 책상 앞에 앉아 이렇게 글을 쓰거나 책을 읽거나 회사 일을 공부하는 단순함이 내게 평온함을 가져다주었다는 얘기다.

여행 내내 비가 온다는 예보가 무섭게 아침부터 비가 주룩주룩 내렸다. 그 때문에 둘째 날부터 한라산에 가겠다는 계획은 처참히 무너질 수밖에 없었다. 한라산은 하루에 입산을 할 수 있는 인원을 제한하고 있어 사전에 온라인으로 예약을 해야 했는데, 심상치 않은 구름의 모양새에 꼬리를 내리고 다음날로 예약을 변경할 수밖에 없었다. 몇 년 전의 나였다면 여행 중에 비가 오는 것을 달가워하지 않았을 테지만 이번 여행에선 이동하는 내내 비가 내려서 좋았다. 몸이 먼저 반응했던 것 같다. 평소보다 일찍 눈이 떠졌고, 마음이 차분해졌으며 눈이 반짝거렸다. 비가 오는 날엔 기분이 좋아졌고, 우산을 쓰고 음악을 들으며 거리를 걷는 일을 즐겼다. 비가 오는 날엔 세상이 조금 더 단순해지는 것도 같았다. 비가 오면 세상의 빛은 다채로울 수 없으니까. '우천 시 취소'라는 문구는 세상이 더 단순해지는 묘령 같았다.

이번 여행 동안은 정말로 아무런 계획이라는 것이 없는 나였기에 동생은 한숨을 쉬며 그저 내게 따라오라고 했다. 늘 나의 철두철미한 계획에 붙들린 채 이골이 나 있던 동생이 몸소 계획을 세우고 실천해 나가는 모습을 보니 계획이 어글러지는 것에 대한 괴로움을 더 주고 싶다가도 금세 귀찮아져서 그만두었다. 버스를 타고 한참을 가다 내린 곳은 '넥슨 컴퓨터 박물관' 방 안에 여러 대의 모니터와 노트북, 10개가 넘는 휴대폰과 음향기기를 보유하고 있는 동생이 좋아할 만한 곳이었다. 컴퓨터 박물관에는 가장 오래된 컴퓨터부터 초등학교 때나 보았던 디스크, 게임에 대한 전시도 있었다. 운 좋게 방문한 시간에 도슨트를 운영하고 있어 나는 설명을 들으며 전시를 관람했고, 동생은 기념품부터 사야겠다며 눈앞에서 사라졌다.

"0과 1 두 종류의 숫자로 수를 나타내는 방식을 이진법이라고 하는데요. 컴퓨터에서 이진법이 사용되는 이유는, 논리의 조합이 간단하고, 컴퓨터에서 사용하는 소자가 이진법의 수를 나타내는 데 편리하기 때문이에요. 생각보다 기계가 구별해야 하는 일들은 0과 1 두 상태만으로도 충분하다는 말이죠. 덧붙이자면, 그게 인간과 기계가 가진 생각의 차이일 수도 있고요. 기계가 조금 더, 매정하죠."

직원의 설명을 들으며 나는 최초의 컴퓨터가 0과 1로만 이루어졌다는 사실에 대해 다시금 생각해 볼 수 있었다. 세상에서 가장 복잡하고 어렵게만 보이는 저 기계 덩어리가 실은 단순하기 그지없는 0과 1로만 판단과 결정을 내리고 있다니. 갑자기 내 눈앞에 놓여 있는 꼬질꼬질한 고철 덩어리가 매력적으로 느껴지기까지 했다. 그와 동시에 내가 그에게 건넸던 말도 떠올랐다. 운명을 믿는다거나 하는 그런 허무맹랑한 가치에 골몰하지 않는 편이지만, 나는 어쩐지 그와 나눴던 두 번의 만남과 대화를 통해 0과 1의 선택지만 두고 1을 선택했으면 했다. 나는 내가 어떤 사람인지 충분히 알고 있어서 더 확신할 수 있었던 것 같기도 하다. 그런 마음은 처음 들어보는 감정이었으니까. 동생을 생각하듯 아끼게 되는 마음이 아무에게나 생기는 건 아니니까.

넥슨 컴퓨터 박물관에서 입장권을 구매하면 누릴 수 있는 두 가지 혜택이 있다. 하나는 게임회사이기도 한 넥슨의 유명 캐릭터팩을 받을 수 있고, 나머지 하나는 박물관 자체적으로 운영하는 게임에 동참할 수 있다. 어떤 신호가 있는 건지는 모르겠지만 팔찌를 차고 전시실에 입장하면 휴대폰과 연결된 사이트를 통해 각 존에 입장할 때마다 퀴즈를 풀 수 있다. 일정 구간에 입장할 때마다 팔찌가 삐빅 소리를 요란하게 울리며 주변의 눈치를 보게 되기도 한데, 한편으로 팔찌를 선택하지 않은 아이들이 내 팔을 탐내며 졸졸 따라다니는 재미가 있었다. 총 9개의 퀴즈를 모두 풀고 나면 소정의 상품을 받을 수 있다고 했는데, 사실 아침과 점심을 제대로 챙겨 먹지 못한 채 점심이 되어버린 터라 지치고 배고픈 마음으로 끝까지 문제를 풀지 못하고 전시실 밖의 벤치에 주저앉아 전날 사둔 초콜릿의 귀퉁이를 조금씩 베어 먹었다.

동생 역시 조금 지치는지 내 옆에 앉아 먼저 받은 캐릭터팩과 기념품을 뜯어보며 즐거워했다. (게으름뱅이인 동생은 즐거울 때조차도 무표정할 때가 많은데, 호기심 가득한 특유의 표정으로(?) 이것저것 만지

작거릴 땐 분명 즐겁다는 것이다) 나는 동생에게 다음 목적지가 어떻게 되는지, 점심은 어떻게 해결하면 될지에 대해 물어보았고, 동생은 아직 사전에 신청해 둔 원데이클래스가 있다고 했다. 나 배고픈데 . . . 배를 땅 땅 두드리며 던진 나의 말을 동생은 사뿐히 무시하며 일어났고, 동생을 따라 들어간 다른 전시실에는 역대 오락실 게임들이 차례대로 배열되어 있었다. 버블버블도 있고, 갤러그도 있고 그중에 우리 두 사람의 눈길을 사로잡은 것은 단연 메탈슬러그.

메탈슬러그는 무려 1996년에 일본에서 출시한 게임으로, 전쟁 중에 주인공이 총과 수류탄을 사용해 적군을 무찌르고 노예를 구한다는 스토리를 지닌 일종의 슈팅 게임이다. 동생과는 초등학교~중학교 무렵 사은품으로 받은 게임 CD에 들어 있어 시작하게 되었고, 2인 플레이까지 가능했기 때문에 거실에 한 대 있던 컴퓨터 앞에 둘이 모여 앉아 삐뚤빼뚤 깎아 놓은 과일을 포크로 콕 집어 먹으며 게임을 했던 기억이 난다. 당시만 해도 머리가 한참은 굵었던 내가 동생을 이기는 것은 어려운 일이 아니었는데, 다시 하게 된 게임에선 내가 동생에게 압도적으로 '짐'이 되고 있었다.

"누나, 왜 이렇게 못해?"

". . 나 안 할래. 빨리 다음 일정 브리핑해."

"안 돼. 우리 키링 만들러 가야 해."

한껏 토라진 얼굴로 게임기에서 손을 떼자 동생이 내 팔목을 잡으며 다음 전시실로 질질 끌고 가기 시작했다. 전날 자전거를 타고 애월을 달리던 중 우당탕탕 넘어지는 바람에 무릎과 다리에 큰 상처를 입었던 나는 한쪽 다리를 절뚝거리며 참았던 불만을 궁시렁대기 시작했다. 동생은 한쪽 귀로 이 모든 걸 흘려 들었고 우리는 마지막 전시관에 마련된 체험관에서 키링을 만들기 시작했다. 내 이름을 이진수로 만들어 0과 1로 나누어진 이름에 따라 구슬을 꿰어 완성하면 되는 것이었는데, 나는 생각보다 아기자기하고 예쁜 완성품을 보고 마음에 들어 했고, 동생은 생각했던 그림이 아니었는지 오히려 투덜거리며 그 큼지막한 손으로 구슬을 꿰기 시작했다.

0과 1로 단순화된 세계에서는 입력과 출력이 꽤 중요한 몫을 한다. 단순해진 만큼 보이는 것들이 명확하게 드러나기 때문이다. 그날 밤, 내가 그에게 던졌던 질문은 0과 1로만 이루어져 있었다. 지금 내게 보여주는 행동들이 "친절인지", "호감인지" 묻는 나의 질문에 그는 친절이 아니라고 응수했으나 그렇다면 "입력"과 "출력"을 제대로 해보라는 이어진 나의 물음에는 묵묵부답이었다. 그러니까 내가 말한 입력과 출력은 지극히 평범한 것. 더 이상 네게 먼저 연락하지 않을 테니 나는 단지 너의 연락을 기다리겠다는 의미였다. 사람은 오래 보아야 한다고 생각했건만 뜻밖에 지인들과 함께했던 술자리에서 모두들 입을 모아 남녀가 보는 횟수는 세 번이면 충분하다는 말을 귀담아들으며 마지막 선택은

순리대로, 그러니까 마지막은 운명에 모든 걸 맡긴 채 그가 주체적으로 나를 선택해 주길 바랐던 것이다. 그러니까 물어봐야지. 네가 싫으면 내가 더 갈 수 없으니까, 싫은데도 자꾸만 네 마음을 괴롭히면 그건 폭력이니까 나는 그만할 수밖에 없어.

그러니까 선택해. 0이야, 1이야?

그는 내가 생각했던 것보다 단순한 사람이 아니었고, 나는 그가 생각했던 것보다 (정말로 기계처럼) 단순한 사람이었던 것이다. 만일 그날 내가 헤어지는 시점에 "우리 또 볼까?"라고 기회를 놓치지 않고 물었더라면, 진탕을 보자는 마음으로 꾸역꾸역 먼저 연락을 했더라면, 인터넷에 떠돌아다니는 플러팅 방법을 조금 더 연구했더라면, 내가 조금 더 외적으로 예쁜 사람이었다면, 지금쯤 조금은 다른 결과를 맞이할 수도 있었을까?

글쎄, 한 계절을 지나온 지금, 그는 처음부터 내게 0이라는 출력을 보냈던 것 같다.

#방주교회

여름 동안 나는 그때의 순간을 수없이 많이 되감아보곤 했다. 나는 정말로 문제를 발견하고 싶었다. 세상에 답이 없는 일이란 없으니까. 이성적으로 생각하면 괜찮아질 거라고 여겼건만 나는 괜찮아지지 않았다. 심해를 뚫고 더 깊이, 빛 한 줄기 투과하지 못하는 어둠 속으로 끝없이 추락하는 것만 같은 느낌, 꾹꾹 참고 있던 무기력이 몰려왔다. 단지 그 때문만은 아니었다. 활동적으로 지냈던 지난 상반기 동안 나는 내가 지닌 에너지보다 몇 배는 높게 신경을 쏟고 있었던 모양이다. 사람의 마음은 결국 탄성력이 있어서 본래의 성질로 되돌아가려는 힘이 있는데, 나는 가늘게 찢어지듯 늘어난 슬라임처럼 너무나도 멀리 온 것이다. 도저히 원래대로 돌아올 수 없을 만큼.

나는 내가 나를 아는 만큼 타인의 마음도 잘 알고 있다고 자만했다. 어쩌면 그들 자신보다도 내가 더 사람을 잘 이해하고 있다고 확신하고 있었는지도 모르겠다. 글을 쓰는 일을 하고 있으니까. 사람의 마음을 들여다보고 그 내밀한 속내를 관통하는 것이 나의 직업이니까. 그러니까 솔직히 말하면 자신 있었다. 세상 사람들을 내 손아귀에 쥘 수 있을 거라고도 생각했던 것 같다. 실제로 얼마 동안은 내가 생각했던 대로 사람들을 단정지을 수 있었다. 인간의 직감이란 틀리지 않고, 나는 사람을 꽤 잘 보는 편에 속하니까. 그러나 사람을 '잘 보는' 것과 그 사람의 '마음을 들여다 보는' 것은 다른 문제였다.

그 사람의 마음이 지금 어떤지, 어떤 상황에 처해 있는지, 그런 것들은 하나도 고려하지 않으면서 나는 사람들에게 우리가 타고난 재료가 다르고, 환경이 다르니 사람과 사람 사이엔 이해가 필요하다고 헤프게 말하고 다녔다. 정작 그 사람에 대한 이해는 하지도 않은 채 나는 세상 너그러운 척 사람들에게 영웅으로 보이길 원했다. 나는 끝내 그 사람의 마음을 이해하지 못했고, 내게 연락을 줄 것처럼 연락을 주지 않았던 그 사람의 눈앞에 나타나 몇 번이고 따져 묻고 싶어 했다. 도대체 뭐가 문제냐고. 너도 내게 호감이 있었던 것 아니었냐고. 끝내 쓸어내지 못한 생각들은 때로 분노가 되기도 했다. 야 이 새끼야. 내게 감정이 없었던 거라면 처음부터 나를 만나지 말았어야지. 내가 또 보자고 할 때, 또또 보자고 할 때 거절했어야지. 거절해도 된다고 했을 때 거절했어야지. 그 사람은 내게 잘못한 것이 하나도 없었는데 나는 그 사람을 멋대로 빌런으로 캐스팅해버렸다. 그렇게 마음은 끝없이 검게 물들어갔고, 나는 내 안에 차오른 녹진한 슬픔을 쳐내기 위해 어떤 노력도 할 수 없었다.

'아, 그런 뒤 정말로 그에게 따져 묻기 위해 그를 만나러 가긴 했었지.'

넥슨 컴퓨터 박물관에서 나와 피자와 파스타가 주요 메뉴인 근처

레스토랑에 방문할까 하던 차, 동생은 시간을 확인하더니 곧바로 택시를 잡았다. 예약해 둔 일정이 있는데 지금 출발해도 빠듯하게 도착할 것 같다는 것이 그 애의 변명이었다. 니가 뭘…예약이라는 걸 했어? 내 물음에 동생은 대답 대신 택시의 한쪽 문을 활짝 열고 탑승하더니 내쪽으로 손을 흔들었다. 그렇게 택시를 타고 한참을 달려 도착한 곳은 드넓게 초록이 펼쳐진 대지. 그곳이 어디였는지도 모르겠다. 오는 동안 나는 택시 안에서 전날 부족했던 잠의 양만큼 꾸벅 졸았고, 아무렴 잘못된 곳에 내리더라도 상관없다고 생각했던 것도 같다.

별장으로 보이는 주택가와 너른 들판, 무엇인지 알 수 없는 식물들을 심어놓은 밭이 펼쳐졌다. 하늘은 한순간 희고 푸르게 빛나더니 다시 두터운 구름으로 채워졌다. 그림자와 햇빛이 번갈아가며 우리 두 사람을 감쌌고, 동생을 따라 한참을 걷던 길에 결국 다시 비가 쏟아졌다. 우산을 꺼내 젖은 머리와 가방을 툭툭 털며 걷던 길의 끝에는 이국적인 풍경이 펼쳐졌다. 나는 곧 건물의 끝에 세워진 십자가를 보고 그곳이 교회임을 알 수 있었다. 동생은 건축을 전공 중인 대학생이기도 하고, 평소 내게는 별 의미 없어 보이는 특별한 구조의 건물을 보러 가는 일을 즐겼다. 동생은 그곳이 유명 건축가가 설계한 작품이라고 했다.

제주에 있는 '방주교회'는 세계적인 건축가 '이타미 준'이 2009년에 설계한 교회로 노아의 방주에서 모티브를 얻었다고 한다. "노아의 방주"란 <구약성서>의 <창세기>에 등장하는 이야기로, 지상의 모든 생물들이 멸망에 이르기 전 신이 '노아'에게만 은밀하게 일러 준 구원책이었다. 노아가 커다란 배(일각에서는 '궤'라고도 부른다)인 '방주'를 완성해 소수의 생물만을 태우자마자 대홍수가 일어나고, 다시 평화가 찾아온 뒤 방주 안에서 몸을 피하고 있던 노아와 몇몇 생물들이 다시 세상을 일궈나간다는 설화이기도 하다. 그래서인지 교회의 외관은 커다란 배를 연상시키는 교회 건물과 그를 둘러싼 얕고 넓은 인공 수조로 이루어져 있었다. 낙엽 하나 떨어져 있지 않았던 인공 수조에 가까이 다가서자 좀 전까지 맞았던 비에 머리카락과 옷이 푹 젖어 있는 내 모습이 투명하게 비춰졌다. 그 순간 잠시 비가 그쳤고, 잔잔하게 이는 물결 사이로 내 모습은 마치 물에 빠진 생쥐꼴 같았다. 나는 웃고 있지도, 울고 있지도 않았다. 그저 신기한 얼굴로 물속에 비친 내 모습을 끊임없이 바라보았다. 교회 건물 지붕에 반짝이듯 비쳤던 은박 장식은 마치 신에게 방주 속에서 두려움에 떨고 있는 인간들의 모습을 고스란히 외치고 있는 것만 같았다.

　아쉽게도 교회 내부를 들어가 볼 순 없었지만 옅게 안개가 낀 풍경을 뒤로하고 동생과 나는 교회를 크게 한 바퀴 비잉 돌았다. 부드럽게 자라나 있는 잔디를 소복하게 밟으며 걷는 동안 나는 조금씩 긴장이 풀리고 마음이 한층 차분해짐을 느꼈다. 동생이 건물의 이곳저곳을 찍으며 내게서 멀어져 있는 동안 나는 그제서야 다리에 힘이 풀리며 조금씩 울음이 터져 나왔다. 고요히 새의 울음소리만 들려오던 너른 들판 한가운데에서 나는 나의 못난 모습들을 마주하는 것이 두려웠던 것 같다. 더 솔

직하게는 내가 얼마나 이기적인 사람이었는지를 인정해야만 하는 순간
을 마주하는 일로부터 도망만 치고 있었으나 이제서야 더 이상 뒷걸음
질 칠 수 없는 벼랑 끝에 서게 된 것 같았다. 나는 다시 살아남아야 했고,
살아남기 위해선 벼랑 너머가 아닌 왔던 길을 되돌아가야만 했다. 도피
는 당장의 해결책이 되지 못했다. 그 사람의 속마음을 투명하게 꺼내어
보고 싶다고 내내 생각해오고 있었으나 실은 나는 실망감으로 가득했던
그 자체의 내 모습을 투명하게 꺼내어 볼 생각을 하지 못한 것이다.

　　한참을 고개를 숙인 채 울다 보니 다시금 조금씩 비가 내리기 시작
했고, 동생과 나는 예약해 둔 '수풍석 박물관' 투어를 앞두고 잠시 근처
카페에서 비를 피하기로 했다. 너른 공간에 드문드문 앉아 있던 사람들
너머 투명한 통창에는 산방산과 몇 개의 섬을 본뜬 그림이 그려져 있었
고, 카페 내부에는 축음기나 오르간 같은 엔틱한 소품들로 장식되어 있
었다. 동생은 시원한 아이스크림을, 나는 한라봉 아이스커피를 주문하
고는 부족한 배터리를 충전했다. 동생은 챙겨 온 노트북을 열어 뭐가 바
쁜지 작업을 하기 시작했고 할 수 있는 것이 아무것도 없었던 나는 한쪽
팔을 괸 채 창 너머의 풍경을 바라보다 눈썹과 눈썹 사이로 쏟아지는 잠
을 받아들였다. 30분 남짓한 시간이었을까. 잠시 꿈을 꾸었던 것 같다.
꿈속에서 나는 바다 한가운데 발을 딛고 서 있었다. 뾰족하게 박혀 있던
커다란 바위는 발바닥 만 한 크기의 너비만큼 물 위로 우뚝 솟아 있었
고, 천둥과 번개가 동반한 비에 파도는 금방이라도 나를 덮칠 것처럼 사

납게 몰아쳤다. 나는 그곳에서 아무것도 만질수도 느낄 수도 없는 망망 대해에서 자꾸만 지평선 너머 어딘가를 눈으로 좇았다. 그 너머에는 아무것도 없는데, 당장 내가 할 수 있는 것은 아무것도 없는데 나는 무엇이라도 해보겠다고 용을 썼다. 어금니 사이에 힘이 들어갔다. 꿈을 꿀 때마다 종종 있는 버릇이었다.

시간이 조금 더 지나 그 사람을 만날 기회가 있었다. 그때 나는 왜 아무런 말이 없었던 거냐고. 왜 연락을 하지 않았던 거냐고. 아니, 모든 자존심을 다 굽혀서 또 볼 수 있겠느냐는 질문이라고 던져 보겠다고 나는 내 시간을 쪼개고 쪼개어 그가 오는 곳으로 달려갔다. 단지 그를 만나고 싶었다. 그와 이야기를 나누고 싶었다. 내가 착각을 한 게 아니라, 네게 사정이 있었던 거라고 믿고 싶었다. 뭐가 문제인지는 모르겠지만 다 해결할 수 있는 문제일 거라고. 네가 나한테 솔직한 마음을 얘기만 해주면 그동안 서운했던 감정들은 눈 녹듯 녹아내릴 거야. 그러니까 제발, 투명하고 솔직하게 말해줘. 나는 내 손에 먼지가 묻었다는 사실도 모른 채 무작정 그 사람의 마음을 파고들어 확인하고 싶었다. 나의 그런 마음들이 그 사람을 다치게 할 수도 있겠다는 생각 따윈 이미 저 멀리 안드로메다로 보내 버린 후였다.

그러나 막상 그 사람의 얼굴을 마주한 순간, 나는 아무런 질문도 말도 할 수 없었다. 솔직히 말하면 후회했던 것 같다. 그날 그 자리에 나간 것에 대해서. 분명 친구들이 조언해 준 대로. 어차피 안 볼 사이라면 따져보기라도 하자는 담대한 마음 가짐은 그 사람의 얼굴을 마주한 순간 처참히 무너질 수밖에 없었다. 겨우 2주 만에 마주했던 그 사람의 얼굴은(또 나만의 착각일지도 모르지만) 좀 안돼 보였던 것 같다. 입술 양쪽이 찢어져 있는 모습이 좀 피곤해 보였는데, 얼굴이 영 못쓸 것 같아서 내가 그 자리에서 모퉁이로 불러 내어 괴롭힌다면 정말 나쁠 것 같아서, 나는 멀어져 가는 그 사람을 잡지도 못하고 아무 것도 하지도 못하고 그저 풀풀 후회만 했던 것 같다. 그러나 다음날부턴 그럼에도 불구하고 아무 것도 하지 않은 내 자신을 원망했다. 후회를 정말 많이 했어. 그냥 끝을 볼 걸. 진탕을 볼 걸.

그런 생각들을 하며 질끈 감았던 눈을 뜨자마자 내 눈앞에는 주황색의 커다란 모자가 놓여져 있었다. 동생은 열고 있던 노트북을 닫으며 내게 그 모자를 건넸다. 이게 뭔데? 내 물음에 동생은 내가 자는 사이 카페 한쪽에 마련되어 있던 굿즈샵에서 기념품으로 모자를 사 왔다고 했다. 자기가 쓰려고 했는데 막상 써보니 끔찍해서 환불도 할 수 없고 누나한테 버리는 거라고. '여행지에 왔는데 감귤 모자 정도는 써 줘야지!' 나는 그날 아침 동생에게 무심코 던졌던 말을 떠올렸다. 짜식, 서프라이즈도 할 줄 알고 말이야. 다른 사람 마음은 몰라도 네 속마음 정도는 투명하게 보인다 뭐. 나는 동생이 준 모자를 쓴 채 잘 어울리냐고 물었고, 동생은 역시나 못난 오렌지 같다며 킬킬거리며 웃었다.

“이거 써. 누나 이런 거 좋아하잖아.”

“이게 뭔데.”

“모자잖아. 감귤장수모자.”

“이거 어떻게 쓰는 건데.”

“설마 지금. ”

“사랑? 그게 뭔데. 그거 어떻게 하는 건데.”

“아, 됐어. 이제 진짜 가야 해. 일어나 얼른.”

“헤헤.”

“사연 있는 여자처럼 제주도까지 와서 추하게 울고 있지 말고,
이거 쓰고 울어. 그럼 깜찍하기라도 하지.”

“. . . 고마워.”

다음 목적지에 가려면 왔던 길을 되돌아가야 한다는 동생의 말에, 우리는 다시 방주교회를 지나쳐야만 했다. 되돌아가는 길에 나는 물에 비친 내 모습을 다시금 바라보았다. 그 속엔 더이상 물에 빠진 생쥐 꼴의 나는 없었다. 화사한 모자를 쓴, 귀여운 감귤 인간만이 투명하게 웃고 있었다.

#수풍석뮤지엄

올해 초, 동생과 함께 부산으로 여행을 떠났다. 2박 3일 동안 서구와 동구를 넘나들며 큰 범위의 이동을 택했지만 숙소는 해운대 해수욕장이 한눈에 보이는 해리단길 근처. 계획에 살고 계획에 죽는 엔티제인 나와의 빡빡하고 전투적인 여행 계획에(코로나 이후 처음 떠난 여행이었기에 최대한 많은 것을 보고 느끼고 싶었다) 정작 3일 동안 해운대는 제대로 둘러보지도 못했지만 모든 일정을 마치고 자정이 조금 넘을 때까지 동생과 나는 해운대 바닷길을 걸었다.

동생은 바다를 무서워했다. 특히 밤바다를. 그에 반해 나는 바닷가 근처를 거니는 일을 좋아했다. 이른 아침에 걸었던 모래사장은 영롱한 진주의 맛을 음미하듯 절로 탄식이 나오는 하늘과 바다빛의 아름다움을 느낄 수 있었고, 밤바다는 저 너머에 아무것도 보이지 않음에도 불구하고 부서지는 파도를 온몸으로 감각할 수 있어 좋았다. 나는 불빛이 비치는 곳, 하얗게 거품이 이는 파도의 끄트머리에 서서, 최대한 물과 가까운 곳을 걷고 싶었다. 모래사장에 푹푹 발을 밀어 넣는 감각도 좋았다. 그러나 동생은 그런 내 옷깃을 붙잡은 채 자꾸만 나를 뭍으로 끌고 올라왔다. 왜 그러느냐고 투덜거리는 내게 동생은 그런 용맹함은 보기 좋지 않다고 대꾸했다.

“바다는 모든 것들의 무덤이야.”

　당시 동생은 술을 마시지 않았음에도 꽤나 진지한 표정으로 말하곤
했는데, 여행 내내 바닷가 가까이 가는 것을 즐기지 않았고, 이번 제주
여행에서도 바다 가까이는 가지 않았던 것으로 기억한다.

“무덤이라니?”
“바닷가에선 모든 것이 소리 소문도 없이 쓸려 가잖아.
밤바다를 걷다 물귀신이 누나를 잡아가도 모른다는 얘기지.
“너도 잡아갈 수 있겠네?”
“그러니까 가까이 가지 마. 속에 있는 것들을 묻어 두려거든
차라리 모래만 뱉어.”
“그게 무슨.. ”
“누나는 가끔 너무 충동적이고 감상적인 게 문제야.
본인도 알고는 있지?“

　그때 동생이 나에게 던졌던 말에 나는 표현은 하지 않았지만 내심
상처를 받았다. 내가 충동적이라고? 나만큼 인내력이고, 금욕적인 사람
이 어디 있어? 일탈이라곤 가끔 간식을 잔뜩 사 와서 폭식하는 것밖에
없는데, 지나치게 이성적으로 행동한 나머지 사람들에게 FM이라는 말

을 듣거나 '-봇', '헤르미온느' 같은 되도 않는 말이 따라붙곤 하는데 나 보고 감상적이라고? 슬픈 영화나 노래를 들을 때마다 눈물을 찔끔 흘리는 쪽은 내가 아니라 너잖아. 그때 나는 동생과 더 많은 언쟁을 하고 싶지 않은 마음에 입을 꾹 다물었다. 그리고는 밤바다 너머 등대가 비추는 빛을 바라보기만 했던 것 같다. 그로부터 반년의 시간이 지난 후, 나는 종종 그때 동생이 내게 했던 말을 떠올렸다. 동생의 말이 결국 맞았더라고, 이제 나는 인정할 수밖에 없다.

수풍석 뮤지엄은 서귀포에 위치한 세 가지 테마(물, 바람, 돌)의 건축물이다. 최근 헤더윅 스튜디오 전시를 관람한 적이 있었는데, 평소 건축물이 미적 기준이 되는 작품이 될 거라고 생각하지 못했던 나는 제주에 와서야 진정으로 건축물의 아름다움을 느낄 수 있었다. 제주하면 따라붙는 별칭은 삼다도. '바람', '돌', '여자'가 많다고 하여 붙여진 별명이지만 어쨌든 '바람'과 '돌', 그리고 '물'이 많다는 걸 인정하지 않을 수는 없었다. 현재는 사유지인 공동 주택 단지에 세 개의 건축물이 있어 입장이 제한되어 있기에 사전에 예약을 하고 별도로 마련된 투어 버스를 타고 이동해야만 했다. 이동하는 동안 계속 비가 왔는데 신기하게도 버스에서 내릴 때마다 비가 그쳤고, 묘하게 구름이 걷히는 순간도 있었다. 수풍석 뮤지엄을 구성하는 세 개의 테마 건물은 '방주교회'를 설계했던 건축가 이타미 준의 또 다른 작품이다. 제주에서 영감을 받아 설계된 세 개의 건축물은 비록 뮤지엄이라는 네이밍을 가지고 있으나 특별하게 미술

품을 전시하는 공간은 아니고, 건축물 그 자체를 하나의 전시품으로 다루고 있는 듯했다.

가장 먼저 둘러보았던 곳은 '석 뮤지엄' 말 그대로 돌에서 영감을 받았다고 했으나 큐레이터의 해설을 듣다 보니 의아한 내용이 있었다. 석 뮤지엄의 건물 외관은 분명 붉은 빛이 감도는 갈색이었으나, 최초 설계 당시에는 노란빛이었던 것이다. 빛에 따라 그림자의 방향이 바뀌고, 건물 내부에 귀엽게 하트 모양의 그림자를 비추는 모습 따윈 내게 중요하지 않았다. 혹시 건축가의 설계 오류 아닐까? 제주의 날씨나 기온 변화를 미처 파악하지 못하고, 질 좋은 재료만 엄선해 만들었다가 제대로 망해 버린 거야. 그저 운 좋게 예쁜 빛깔이 된 것뿐이겠지. 생각이 끝나기가 무섭게 큐레이터는 석 뮤지엄에 사용된 재료를 언급하며 이는 자연스럽게 부식이 이루어진 것이라고 덧붙였다. 세상에 영원한 보존 법칙이 없다면 천천히, 자연스럽게, 본래 가진 물성이 변할 수 있도록 놔두는 것. 이타미 준이 세곳의 건축물을 완성하는 데 있어 가장 중요하게 생각했던 요소는 이것이었다고 한다. 순리대로. 나는 큐레이터의 마지막 말을 속으로 되뇌어 보았다. 순리대로. 그 표현은 평소 내가 슬로건처럼 마음에 새기고 있는 것이기도 했다. LET IT BE.

그 순간, 나는 그에게 순리대로 다가가지 않았던 것 같다는 생각이 머릿속을 스치고 지나갔다. 집에서도, 회사에서도 모든 건 순리대로 처리해야 탈이 나지 않는다고 강조하고 다녔으면서 정작 나는 순리를 택하기보단 자꾸만 반칙의 기회를 넘보며 심판의 옐로카드를 탐냈다. 처음 지인들과의 자리에서 그와 우연히 대화를 나눌 수 있었던 시간을 보낸 이후, 나는 어쩌면 그가 내가 겉모습으로만 판단했던 것보다 좋은 사람일지도 모른다는 직감을 믿었던 것 같다. 나는 바로 그 다음날 그를 만날 수 있는 기회를 또다시 잡았다. 충동적이었다.

처음엔 호기심이었다. 좋아하는 마음 같은 건 잘 모르겠고, 그냥 어떤 사람인지 한 번만 더 보자,라고 생각했던 것이 두 번이 되고, 세 번이 되었던 것 같다. 학점을 딸 때도, 프로젝트 성과를 낼 때도 수단과 방법 따윈 가리지 않고 승리의 깃발부터 뽑고 보는 나였으니까. 무작정 공격적이고 저돌적이기만 했던 나의 어처구니없는 태도가 지금 생각해 보면 그에게는 얼마나 당황스러운 상황이었을까!

하지만 아무리 생각해 봐도 당시 나는 그렇게라도 하지 않으면 그를 만날 방법이 없었다. 내가 직접 연락을 해 사적으로 보자고 하지 않는 이상-그러나 당시 그 정도의 용기를 내기에 친구도 아니고 남에 가까워서 딱히 핑계를 대거나 머. 예의 있게 수작을 부릴 수 있는 방법이 없었다. 고 생각하지만 이것은 나의 스킬 부족이려니 한다-자칫하면 그가 스쳐 지나가는 인연이 될 것만 같았다. 무엇보다 당시 콩깍지(?)가 제대로 씌인 것인지 나는 그가 다른 곳에서 언제든 진짜 인연을 만나게 될까 봐. 그것을 두려워했다. 내가 이러한 판단을 하게 된 데에는 한편으로 내게 연애 조언(?)을 해주었던 친구들의 몫도 크다. 친구들과 만나는 날에 당장 연락을 하네 어쩌네 하는 이야기가 오고 갔고, 두 번 다 그들의 열기에 힘입어 정말 뜬금없는 타이밍에 조급하게 연락을 했던 것 같다. 지금 생각하면 아무리 내가 한 행동이어도 얼척이 없고 부끄러워서 지금은 그와 나눈 메신저 기록마저 삭제한 상태이지만 그래도 나는 그렇게 메신저를 보내 놓고 그의 연락을 기다리는 시간이 좋았다. 평소 좋아하는 풍의 재즈와 보사노바 음악을 들으며 한강을 달리는 일이, 그러다 그에게 연락이 왔을 때 세상 차가운 시리가 불러주는 그의 이름이 다정하게 느껴졌다.

그때에도 나는 내가 그를 좋아한다고 생각하진 않았다. 그저 타인에게 관심을 갖는 일이란, '연애'라는 건 보통 이런 무드와 형상을 하고 있는 거 아니야?라고 짐짓 넘겨짚었지만 모든 건 내 뜻대로 되지 않아서 마음은 더 조급해졌다. 실은 그와 나눴던 모든 메신저에는 사전에 나름의 시나리오가 존재했다. 내가 이런 말을 던지면 그가 이렇게 대답할 것이고, 또 내가 이렇게 받아 치면 그가 이렇게 대답하고, 그러면 이렇게 결론을 내겠다는 나름의 전략. 몇 시간 동안 그렇게 메신저 플롯을 짜 놓고(?) 막상 연락을 하면 그는 내 예상 밖의 대답과 상황을 만들어냈다. 그런 건 회사에서도 있을 수 없는 일이었다. 마치 마이너리티 리포트처럼 회사 동료들의 행동 양상마저도 내 머릿속에 다 계획되어 있어서 보통 내가 원하는 방향으로 상황이 흘러갔는데, 도무지 그와 있던 상황에서만 나는 엉망진창 진흙구덩이에 미끄러지는 것만 같았다. 그러니까 나는, 그에게만은 유일하게 충동적이고 감성적인 유형의 얼굴을 하고 있었던 것이다.

어쩌면 그것이 나의 본질이었을지도 모르겠다. 나에게 가장 친밀한 가족들만이 나를 진정으로 바라봐 주었듯이, 그날 밤바다를 거닐며 동생이 건넸던 조언은 언젠가 내가 이런 상황이 올 거라는 걸 미리 예상하고 있었던 것일지도 모르겠다는 생각이 들었다. 그러니까 다른 사람들은 몰라도 내가 진짜 로봇이거나 헤르미온느가 아니라는 걸 봐줄 사람이, 그런 성정을 들킬 사람을 만나게 될지도 모른다는 걸 말이다. 그리고 생각이 거기까지 갔을 때 나는 유일하게 나의 진짜 모습을 그에게 일찍 들켜버렸다는 생각을 했다. 그런 건 천천히 보여주었어야 했는데, 나는 마치 아수라장이 된 연극 무대에서 주섬주섬 커튼콜을 부르는 배우처럼 줄곧 어색하기만 했던 것 같다.

"풍 박물관"에서도 "수 박물관"에서도 마치 무릉도원을 연상시키는 자연물의 아름다움을 그대로 표현하고자 했던 이타미 준의 의도와 정확한 계산법에 동생과 나는 투어 내내 감상에 빠져 있었다. 특히 "수 박물관"에서 물에 담긴 하늘의 풍경은 마치 거대한 세계로 향하는 또 다른 차원의 문 같았다. 운이 좋게도 먹구름이 담길 때와 푸른 하늘이 담길 때의 사진을 모두 촬영할 수 있었는데, 어떤 풍경이 담기더라도 신비하게 느껴졌다. 세 건축물 모두 부식과 변색, 재료의 휘어짐 등 처음과는 같지 않은 모습이었지만 하나의 건축물에 담긴 시간이 무르익은 계절처럼 아름다웠다.

사람 역시 자연의 한 부속품이기에 결국 변하고 말 것이다. 세상에 영원한 건 없으니까. 이 글을 쓰는 동안에도 나는 여전히 그가 좋고, 자주 그와 대화를 나누었던 순간들을 복기해 보곤 하지만, 언젠가 내 마음도 변할 것이다. 아마도 그 사람의 마음이 내게 기우는 쪽으로 변하는 것보다 그에게 향했던 내 마음이 부식되는 것이 더 빠르겠지. 나는 충동적이고 감성적인 사람이니까. 그래서 조금 더 시간이 지난 후에 이 글을 다시 읽게 된다면 수풍석 뮤지엄이 그랬던 것처럼, 내 마음도 이상하지만 아름다운 빛깔로 천천히 녹슬어 버린 것 같다고 다분히 의도적으로 계산된 녹슬음이었다고 웃으며 말할 수 있는 날이 왔으면 좋겠다. 나는 이제 그 무엇도 과거에 붙들린 채 돌아가려 노력하지 않으려 한다.

#무민랜드

수풍석 박물관 투어를 마치고 다음 목적지를 향해 가는 길. 어느덧 해는 저물어가고, 나는 동생에게 다음 경로를 물었다. 근처에 버스 정류장 없어? 내 물음에 동생은 (정말 대책 없이) 어깨를 으쓱할 뿐이었다. 당초 택시를 타고 들어왔던 데다 마을을 돌아보는 내내 버스정류장 자체를 본 적이 없었다. 이런 곳이라면 버스가 1시간에 한 대 오거나 자칫하면 막차를 놓칠 수도 있는 시간이라는 생각이 들었다. 나는 조금 걱정스런 표정으로 동생을 바라보았다. 동생은 조금만 더 걸어서 가면 버스정류장이 하나 나오는데, 40분에 1대 있는 버스를 타면 될 것 같다며 휴대폰을 흔들어 보였다.

　지금도 가끔 그때의 순간을 생각한다. 나는 그때 왜 내가 확실하게 경로를 파악하지 않았는지 이해할 수가 없었는데, 평소의 내 성격과 달리 나는 동생에게 한 치의 의심 없이 고개를 끄덕이며 동생이 안내하는 길을 따라 걸었다. 집과 집 사이에 거리가 제법 있고, 마을과 마을을 잇는 사이에 밭과 나무와 숲이 펼쳐져 있는 거리. 거리에는 아주 간혹 차가 지나다녔고, 길 위에는 나와 동생이 전부였다. 고요하게 안개가 내려앉은 너머의 풍경이 가져다주는 아름다움에 흠뻑 젖은 채로 나는 신이 나서 폴짝폴짝 뛰기까지 했다. 동생과 나는 눈앞의 풍경을 눈에 담고, 사진으로 남겼으며 숨을 들이마실 때마다 느껴지는 상쾌한 공기를 그 자체로 느꼈다.

어느덧 비가 그치고 구름 사이로 기울어지는 해가 빼꼼히 보일 때쯤 우리는 목적지인 정류장을 한참이나 남겨 두고 정체불명의 건물을 만나게 되었다. 사람 한 명 지나다니지 않는 곳에 온통 흰색으로 칠해져 있는 동글동글 뚱뚱한 흰색 건물. 입구에는 익숙한 캐릭터상이 우리를 반기고 있었는데, 뭔가 해서 가까이 다가가보니 '무민'이었다. 제주도에, 그것도 생각지도 못한 곳에 무민이라니. 평소 만화나 애니메이션을 좋아하고, 굿즈나 피규어를 사모으는 걸 좋아하는 동생의 눈이 번뜩이는 것이 보였다.

"누나 잠깐 들렀다 갈래?"
"그럼 버스 놓치는 거 아니야?"
"40분 뒤에 한 대 더 온대."
"그럼 마음대로 해."

다음 목적지는 어딘지, 또 다음 목적지는 알지 못하는 상황에서 나는 당시에 어떻게든 해결되겠지라는 낙관적인 생각을 했던 것 같다. 동생은 내게 40분 뒤에 또다시 온다는 그 버스가 마지막 한 대라는 말을 하지 않았다. 한편으로, 최후의 수단으로는 택시가 있다는 생각에 안심을 했던 것 같기도 하다. 그렇게 우리는 홀린 듯 무민랜드에 발을 들였다. 입구부터 기분 좋은 꽃냄새가 퍼져가는 가운데 매표소에 마련되어 있던 간이 굿즈샵에서 동생은 넋을 잃고 구경하기 시작했고, 나는 서둘러 표를 구매했다. 어느덧 시간은 마감 40분 전, 직원은 우리에게 마감 시간을 알려주며 다 둘러볼 수 있겠느냐고 물었고, 동생과 나는 한 치의 망설임 없이 고개를 끄덕였다. 어쩐지 이곳이야말로 오늘이 지나면 다시는 찾지 못할 것 같다는 생각이 그 순간 어렴풋이 들었던 것 같다.

무민은 핀란드 출신 작가 토베 얀손이 만들어 낸 캐릭터다. 무민에 대한 여러 루머가 난무하고 있지만 그중에 많은 사람들이 오해하는 것이 무민의 종에 대한 논쟁. 입이 넓고 네모난 탓에 많은 이들 사이에서 무민이 '하얀 하마'라는 설이 있기도 하지만 정확히는 트롤(북유럽의 신화나 전설에 나오는 거인 또는 마법을 부리는 상상 속의 동물)이다. 1945년 토베 얀손은 <무민 가족과 대홍수>라는 작품으로 신문에 연재를 시작하게 되었고, 귀엽고 순수한 작화에 짜임새 있고, 흥미진진한 스토리를 덧입혀 곧 핀란드뿐만 아니라 전 세계적인 인기를 얻게 된다. 무민은 쿵푸팬더나 슈렉처럼 모험을 떠나며 다양한 캐릭터와 경험을 하며 결국 성장해 가는 이야기다. 무민랜드 제주는 이러한 작품에 대한 히스토리부터 무민 캐릭터 소개, 토베 얀손의 히스토리 등 작품 전반의 세계

관과 작가의 생애에 대해 두루두루 살펴볼 수 있다.

최초의 무민은 지금처럼 순백의 두부 같은 캐릭터는 아니었다. 말 그대로 '트롤'이라는 분류에 걸맞게 북유럽 신화에 등장할 만한 작화에 커다랗고 시커먼 곰을 연상시키는 생물체가 마을을 돌아다니고 있는 모습을 볼 수 있다. 그러나 TV애니메이션으로 재탄생하면서, 그리고 여러 번의 피드백과 수정을 거치면서 지금의 동글납작한 캐릭터가 되었다고 한다. 사실 무민랜드를 돌아보는 내내 무민에 대해 뭘 더 잘 알게 되었다거나 각별한 애정이 생긴 것은 아니었다. 파스텔톤의 포토존과 곳곳에 전시된 무민 만화들, 그리고 영어 주석과 그 옆에 붙은 한국어 번역을 간간히 읽으며 전시장의 이곳과 저곳을 넘나드는 길. 마감시간이 촉박했기 때문에 제대로 다 둘러보지도, 전시장 속에서 무언가를 깊이 있게 사유하는 것은 어려웠다. 동생과 나는 이곳저곳에 마련된 포토존에서 사진을 남기고, 빠르게 다음으로 넘어갔다. 설상가상으로 40분 배차 간격으로 오는 버스는 이제 막차를 남겨두고 있는데, 지금 무민랜드에서 출발해도 정류장까지 도착하기는 미지수란다. 그렇지만 나는 그 순간 무민랜드에서 아름드리 커다란 나무에 두 손을 뻗어 껴안고 무민과 어깨동무를 하는 그 시간 속에서는 무민이 좋았다. 무민에 대해 잘 알지는 못하지만, 전시관을 다 둘러보고서도 남는 것은 내가 담긴 사진뿐이었지만 나는 나의 시간에 무민이 담겨 있는 것이 좋았다.

문득 그런 생각이 들었다. 그 사람을 좋아했던 것도 이런 마음이지 않았을까. 그러니까 나는 그 사람을 마치 인스턴트 음식을 대하듯 좋아하고 있었는지도 모르겠다는 생각이 들었다. 본지 얼마나 됐다고. 이름과 얼굴을 안지 겨우 반년도 되지 않은 사람을 나는 무엇을 믿고 내밀한 면면들을 보고 싶어 했던 것일까. 세상 사람들은 어떻게 남남이었던 세계를 단번에 영원의 세계로 만들어갈 수 있는 걸까. 운명이나 인연이라는 단어로는 설명되지 않는 감각. 상식적이거나 공식적이지 못한 세계가 그쯤 어딘가에 존재하고 있는 것 같다는 생각이 들었다. 인스턴트 음식처럼 급속도로 뜨거워졌다 식는 것을 어떻게 사랑이 아니라고 할 수 있을까? 그 사람의 성장과정이나 성격, 혹은 내가 모르는 은밀한 비밀 같은 걸 알지 못하더라도 나는 그 사람과 조금 더 함께 시간을 보내고 싶었고, 몸과 마음을 나누고 싶었다. 계획에 없던 일이었지만, 차마 예상하지 못했던 변수였지만 나는 그 변수에 제대로 빠진 채 허우적거리기보단 천천히 헤엄쳐나가고 싶었다. 그 사람의 세계를 유영하고 싶었다.

한때 나는 자신의 주변에 있는 모든 남자들에게 관심이 있다고, 모두들 조금씩 좋아한다고 말하는 친구를 이해하지 못했다. 모든 타인에게 '사랑할 여지'를 주는 친구를 이해하지 못했다. 아니 이해하지 않으려 했던 것 같다. 적어도 내 기준에선 그건 헤픈 사랑이라고 생각했다. 모두에게 가능성을 열어두는 것.

그건 진정한 사랑이 아닌 거잖아. 그 친구가 사랑에 대해 제대로 알지 못한다고 생각했다. 어떻게 모두를 사랑할 수 있어? 모두와 몸과 마음을 나눌 수 있어? '사랑'이란 운명처럼 좀처럼 가까워지지도 밀물처럼 한꺼번에 몰려오는 것도 아니잖아. 그러나 무민박물관에 방문했을 때, 나는 그 친구의 감각을 또렷이 이해할 수 있었던 것 같다. 무엇이 정답인지, 누가 진실인지는 알 수 없지만 언제든 계획에 없던 모든 인연들을 사랑하는 일. 마음에 싹튼 조금의 사랑이 어느 날 맞닿으면 언제든 연인이 될 수 있다고. 그러니까 그날 그 친구가 나를 놀리듯 스무고개처럼 건넸던 말들은 어쩌면 사랑을 대하는 자세를 조금 더 쉽게 생각하라고. 사랑은 찾아오는 것이 아니라 쉽고 편하게 하는 거라는 말을 나는 그제서야 온전히 받아들일 수 있었던 것 같다.

한결 가벼워진 마음으로 라운지 루프탑에 올라가 너머의 산방산을 바라보았다. 먹구름이 걷히고 점점 맑은 하늘이 보이는 산방산 위로 안개와 구름이 운치 있게 흘러가고 있었다. 잠시 동안 쉬면서 불어오는 바람을 만끽하고 있는데 어느덧 전시장 폐장 시간을 알리는 알림음이 울렸다. 이미 돌아가는 버스를 놓친 후였다. 동생과 내 휴대폰 배터리는 곧 방전될 듯 아슬아슬했다. 나는 라운지 구석에 있는 멀티탭 앞에 쪼그려 앉은 채 주위를 둘러보았다. 직원 외에는 전시장 밖에도, 안에도 사람이 없었다. 택시를 잡으면 되겠지. 동생이 잠시 기프트샵에 들려 쇼핑을 하는 사이 택시 호출 앱을 열었다. '이럴 땐 택시비 아끼는 거 아냐.' 그러나 택시비는커녕, 근처에 잡히는 택시가 없었다. 계속해서 '호출' 버튼을 누르고 인내심 있게 화면을 기다렸으나 다섯 번을, 여섯 번을 해도 택시는커녕 휴대폰은 아무런 반응이 없었다.

'앗, 이거 진짜 큰일이다.'

정말로 계획에 없던 일이 일어나고 만 것이다.

#산방산

'너는 하루가 24시간인 게 모자라겠다'

'헤르미온느 같아'

'어떻게 다 해낼 수 있어?'

나를 알기 시작한 사람들을 만날 때마다 듣는 말이다. 그렇지만 실제로 나는 하루가 24시간으로도 모자라다고 자주 생각하곤 한다. 덤블도어 교수가 헤르미온느에게 건넸던 타임리프 목걸이가 내게 주어진다면 참 요긴하게 쓸 텐데. 현실은 잠과 운동을 줄여가며 하고 싶은 일을 해야만 하는 실정이다. (부쩍 살이 붙는 요즘엔 운동을 줄이는 게 제일 힘겹다)

나는 요즘 매일을 쳇바퀴를 돌듯 지내고 있다. 월요일부터 금요일까지. 내 진짜 생은 퇴근시간 이후부터 시작된다. 주로 글을 쓰거나 책을 읽는 일인데, (유튜브나 넷플릭스를 보며 시간을 보내기도 한다) 운동을 하고 집에 돌아온 후 잠들기 전 2시간가량의 시간은 내게 제법 촉박한 시간이다. 하고 싶은 일은 많고, 할 수 있는 일은 한정되어 있으니 때로는 불만이 생기기도 한다. 운동시간을 줄일까 생각하기도 했지만 한 달에 한 번씩 식욕이 왕성하게 활동하는 터라 운동만이 현재의 체중을 유지할 수 있음에-작년과 달리 사람들을 만나는 일이 많아졌으므로-조정하기가 어렵다. 일에 빠져 있을 때 가장 소홀해지기 쉬운 건 사람을 붙잡는 일이다. 내가 좋아하는 사람들이 언제까지고 나를 좋아해 줄 거라는 보장이 없다. 연인 관계뿐만 아니라 친구, 가족 관계도 마찬가지다. 일을 잘 해내고 싶을 때면 신경은 한껏 예민해지고(아무것도 아닌 것 같지만 이 글을 쓰는 지금도 나는 피부에 스치는 바람에도 짜증을 낼 수 있는 포악한 성정을 지니게 된다) 틈틈이 그들의 안부를 묻는 일은 깜빡하게 된다.

최근에 나는 소중한 친구 한 명을 잃어버렸다. 그 애는 고등학교 1학년 때 같은 반이 되어 올봄까지 (적어도 내 기준에서는) 가장 친한 친구였다. 그리고 지금의 표현이 과거형인 이유는 이제 나는 더 이상 그 애를 만날 수 없기 때문이다.

문제는 나로부터 시작된 것 같다. 작년 한 해 동안 나는 온종일 글을 쓰는 일에만 매달려 있었다. 재작년에도 작년과 같은 생활을 반복했지만, 작년 한 해는 특히나 심했다. 만 나이가 도래할 거라는 생각을 하지 못했기 때문에 작년은 내게 허락된 마지막 20대였고, 나는 20대에 내 책을 가지게 된, 비로소 공식적인 '작가'로 불릴 수 있는 기회를 놓치고 싶지 않았다. 누구도 만나지 않았고, 잠을 자고 밥을 먹는 시간 외에는 오로지 글만 썼다. 그러니까 허구의 세계를 상상하는 일이 내가 십 년을 넘게 해 왔던 일이었다. 나는 늘 가짜의 세계 속에 살았다. 내가 속할 수 없는 세계, 내가 가볼 수 없는 세계 속을 헤매는 동안 나는 정작 내가 두 발을 딛고 서 있는 현실의 사람들이 내게 보내는 사랑이 조금씩 죽어

가고 있다는 사실을 깨닫지 못했다.

그 애는 전형적인 INFP(인프피)로, 나와 가장 긴밀하게 마음을 나누었던 친구였다. 어쩌면 ENTJ(엔티제)인 나는 절대로 가지고 있지 않던 사려 깊음과 통통 튀는 발랄함이 한데 모여 있는 친구였는지도 모르겠다. 그 애는 늘 사랑에 매달리는 애였다. 당시 '사랑'보다는 '일'에만 매달려 있었던 나에게 그 애의 시시콜콜한 썸남들과의 대화는 내겐 지루하고 피곤한 이야기이기도 했다. '누가 봐도 그놈은 너한테 관심이 없는데, 도대체 왜 그러는 거야. 세상에 남자는 많아. 그만 포기해.' 나는 그런 말들을 쉽게 던졌고, 언젠가는 그 애와 통화를 하며 그 애를 거짓된 마음으로 위로하고 있는 내 자신이 아깝게 느껴지기도 했다. 지지부진하다고 생각했던 것도 같다. 사랑이 도대체 뭐길래, 이토록 다정하고 예쁜 친구가 이성을 잃도록 만드는 것일까. 안타깝다고 생각했다. 그리고 그러던 어느 날 나는 나의 솔직한 심경을, 다소 쌓여 있던 피로감을 그 애에게 그대로 분출했다. 친구 사이는 보통 싸우면 더 친해진다고 하던데. 그 애는 그렇지도 않았던 모양이다. 내게 상처를 입어버린 그 애는 결국 나를 떠났다. 언젠가 연락을 준다고 해놓고는 연락도, 무엇도 없다. 나는 나의 가장 소중한 친구를 잃었다. 그 애가 나를 떠난 후에야 나는 내 마음을 잃어버렸다는 사실을 깨달았다. 처음 연락이 끊긴 이후, 나는 단지 친구 한 명이 떠나갔을 뿐인데 슬픈 감정이 치미는 것을 느꼈다. 매일 밤을 울었던 것 같다. 속상했다. 후회했다.

무민랜드에서 몇 번이고 택시 호출 앱을 눌러댔지만 응답은 없었다. 근처는 온통 숲과 밭뿐이었다. 그러니까 시골길 어딘가에 불시착한 이방인처럼 나는 초조한 표정으로 세상 걱정 없이 굿즈샵을 구경하고 있는 동생을 노려보았다. 전시장 내부에선 퇴장시간을 알리는 안내음이 흘러나오기 시작했다. 휴대폰 배터리는 2%에 머물러 있었다. 다행히 무민랜드 한쪽에 있던 카페테리아에 멀티탭이 마련되어 있어 충전기를 꽂은 채 계속해서 호출 앱에 의지했다. 버스 막차는 끊겼고, 이대로 택시를 호출하지 못한다면 마을 아래까지 걸어가야만 했다. 해는 뉘엿뉘엿 지고 있었고, 창밖으로 빗방울이 쏟아지다 멈추길 반복했다.

"카드 결제가 안 돼요. 현금만 가능할 것 같은데."

휴대폰과 나 사이, 약 20분간의 사투 끝에 택시 하나가 잡혔다. 기사는 내게 카드 결제는 불가능할 것 같다고 말했다. 나는 택시비가 얼마가 나와도 상관없으니 시내까지만 데려다주시면 된다고 연거푸 말했다. 내려와요. 택시 기사의 심드렁한 한 마디에 순간 머리 끝까지 바짝 올라있던 긴장이 사르르 풀리는 듯했다. 바로 내려간다고 말한 후, 동생을 찾았지만 동생은 어디로 사라진 것인지 보이지 않았다. 더 이상 지체할 시간이 없다. 기사님은 지금 우리 남매의 유일한 동아줄이니까. 나는 부끄럼도 무릅쓰고 동생이 사라진 방향을 향해 저녁을 먹으러 돌아오라는 엄마처럼 고래고래 소리를 질렀다.

"야!!!!!! 어딨어!!!!!! 빨리 돌아와!!!!!"

　동생의 다음 목적지는 '루나폴'. 여행 2일 차에 접어들었음에도 동생이 보낸 일정표를 확인하지 못한 나는 고개를 갸우뚱했다. 거기가 어딘데? 내 물음에 택시 기사도 처음 들어보는 지명이라고 했다. 그는 지도를 자세히 들여다보더니 이내 박수를 짝, 하고 치며 대답했다.

"아, 여기 거기네. 산방산 근처 조각공원."

　산방산. 들어본 적이 있었다. 어쩌면 10년 전 수학여행으로 떠났던 제주에서 반 친구들과 함께 올랐던 곳일지도 몰랐다. 산방산은 서귀포에 위치한 산으로 제주도에 있는 오래된 화산 중에 하나다. 그래서일까. 산방산에는 오래된 전설이 있다. 한라산의 머리라 불리우는 일부가 뚝 굴러 떨어진 것이 산방산이 되고, 그 만큼의 베어진 자리가 지금의 한라산에 있는 백록담이라는 귀여운 전설. 그래서인지 한라산의 아름다운 풍광만큼이나 산방산의 풍경 또한 아득하리만치 황홀한 장관을 이룬다고 한다. 어쨌거나 우리가 가는 곳은 산방산이 아닌 그 근처 조각공원. 정확히는 야경이 아름다운 루나폴이었다.

　택시 기사는 우리 남매에게 호기심이 많았다. 처음 차에 탑승해 앉았을 때부터 미러 너머로 그의 시선이 느껴졌다. 그는 우리에게 남매가

맞는지, 어디서 왔는지, 제주엔 왜 왔는지, 어디를 구경했는지를 물어보았다. 당시 나는 택시를 잡느라, 그리고 그 택시를 타느라 몸과 마음이 온통 너덜너덜해져 있던 나머지 바닷가에 떠내려가는 물미역처럼 잔뜩 힘이 빠져 있었고, 질문에 대한 대답은 주로 동생이 했다. 여행지를 정한 것도 동생이니, 굳이 이 굽이굽이 먼 곳에, 수풍석 박물관과 방주교회를 겁도, 차도 없이 들어온 이유를 설명한 것도 동생이었다.

"대학생이야? 좋을 때지. 맘껏 즐겨요."
"전 그런데 하고 싶은 게 많아서. 즐기기엔 시간이 아깝죠."
"즐기지 않고, 평생을 일만 한다고? 시간은 한정되어 있어. 즐기지 않아서 시간이 아까워야지. 젊은 사람이."

택시 기사는 이어 쓰고 있던 선글라스를 조금 내리며 동생의 얼굴을 잠깐 동안 지그시 바라보았다. 그리고는 숨을 크게 들이마셨다.

"내가 지금 육십이 다되어 가는데. 아저씨가 지금부터 긴 이야기 하나 해줄게요. 뭐, 재미없는 내 인생이긴 하지만."

그는 이십 대 후반에 사업을 해서 큰돈을 벌었다고 했다. 그렇게 기발하지도, 나쁘지도 않은 장사였기에 수입이 좋았고, IMF가 터졌던 시기에도 좋은 차와 집, 그리고 서비스를 받으며 살 수 있었다고 했다. 그러나 그 생활을 유지하기 위해선 하루가 24시간이 모자라게 일을 해야만 했다. 잠깐의 휴가와 쉴 수 있는 시간이 있었지만 쉬는 시간에도 일을 생각하지 않으면 어딘지 모르게 불안한 마음이 들었다. 젊어서 그랬던 것인지도, 그렇게 큰 돈을 만져본 것이 처음이어서 그랬던 것인지도 모르겠다고 덧붙이며. 서른이 되었을 때 '마음을 잃어버린 것 같다'는 생각을 했다고 한다. 이렇게는 더 살 수 없을 것이라고. 기약 없이 추억 없는 살 수는 없다고 생각했을 때, 그는 모든 사업을 정리했다. 모아 둔 돈은 풍족했고, 그는 그가 가진 돈을 몽땅 후회 없이 세계여행을 하는 데 써버렸다고 했다. 30년을 넘게 여행만 했다고 했다. 지구를 세 바퀴를 돌았다고 했으니 얼마나 많은 시간과 돈을 들였을지 알 수 있을 것 같았다. 평생을 걱정 없이 먹고살 수 있을 것 같았던 재물을 손에 쥐었지만 언제든 '제로'의 상태로 돌아오는 것은 어렵지 않았다. 그의 잔고는 몇십 년을 흘러 바닥이 났고, 그는 한국에 돌아오는 대신 조금 더 세계를 여행할 결심을 하게 되었다고 했다. 자동차 시트에 널브러져 있던 나는 그의 이야기에 눈을 반짝이며 조금씩 몸을 일으켰다. 그는 이제야 내 이야기에 관심이 생기냐며 껄껄 웃고는 계속 말을 이었다.

"돈이 부족하면 그곳에서 일을 하고, 돈이 모이면 또 떠나고.
그 생활을 반복했지. 코로나19가 시작되기 전까지."

그가 20년 동안 여행을 하면서 지키게 된 철칙이 있다면 바로 잠에 관한 거였다. 세계를 돌아다니다 보면 분명 나와 맞는 나라나 지역이 있다는 것이다. 그는 그것을 '잠'으로 표현하곤 했는데, 유랑하던 중 단잠을 잘 수 있는 곳을 발견하게 되면 그 즉시 그 지역에 발을 붙이고 지내기 시작한다고 했다. 떠나고 싶은 마음이 들 때까지. 그렇게 그가 가장 오랜 기간을 머물렀던 나라는 '태국'이었다고 했다. 태국의 어느 작은 마을이었는데, 관광지라기보다는 그저 현지인들에게 라이딩으로 인기가 많은 지역이었다고. 지대가 높아 비교적 습도가 낮고 선선한 바람이 곧잘 불어오는 곳이었다고 했다. 마지막으로 머물렀던 여행지 역시 그곳이었다고. 비자만 아니었어도 떠나오지 않았을 것이라고, 비로소 정착해 살아갈 곳을 찾았는데 참 아쉬웠다는 말도 덧붙였다.

아, 그렇담 제주는 아저씨의 고향이군요. 태국에서 제주로 돌아온 지 어언 4년이 되어간다는 그의 말에 나는 고개를 끄덕이며 물었다. 그러자 그는 잠깐 고개를 돌려 나를 마주보며 전혀 다른 대답을 들려주었다. "엥? 아니 나 일산에서 왔는데?" 제주 청년이 세계를 여행하다 고향으로 돌아온 이야기. 캬- 낭만 가득 스토리에 감탄을 거듭하고 있던 나에게 찬물을 끼얹은 건 전혀 생각지도 못한 동네의 이름이었다. 아, 일산. 짜게 식어가는 감성을 뒤로한 채 어떻게 제주로 돌아올 생각을 했느냐는 물음에 그는 대답 대신 차체의 창문을 조금 열었다. 그러자 창문 안쪽으로 시원한 바람이 들어왔다. 창밖으로는 낮은 높이의 담장과 광활한 공터인지? 흙밭이 이어졌다.

"마음이 편하거든. 제주는. 그리고 언제든 떠나 다녀도 부담이 없지.

잠도 잘 오고. 내년엔 다시 나갈 거야. 제주는 올해가 마지막이야."

목적지에 도착했다는 알림이 무섭게 그는 산방산이 바로 앞에 보이

는 곳에 동생과 나를 내려줬다. 이야기를 들은 값으로 몇 천 원이라도 더

드리려 했지만 그는 오히려 우리 남매를 만나서 재밌는 이야기를 할 수

있었다며 측정된 값보다 더 낮은 값을 받았다. 인연이 있다면 또 봬요,

아저씨. 나는 그가 알려준 인스타그램 주소를 기억에 담으며 언젠가 또다시

만날 기약 없는 약속을 홀로 했다. 그의 차가 떠나가는 썰물처럼 왔던 길을

되돌아가려던 차에 그는 별안간 닫았던 창문을 열고 동생에게 말했다.

"뭐든 잃어버리는 일을 두려워하지 마. 우리 인간이 무언가를

잃어버리고, 누군가 잃어버린 조각을 줍는 건 당연한

이치인 거야. 그게 '지구'라는 자연의 섭리니까."

그는 이어 '조각공원'의 팻말을 가리켰다. 하필 다음 목적지가 '조각

공원'이라니. 나는 헛웃음을 지으며 동생을 바라보았다. 동생 역시 즐거

운 표정으로 아저씨에게 손을 흔들었다.

누구나 삶의 조각을 잃어버린다. 조각난 것들은 다시 붙여지진 않지

만 쪼개지고, 어설프게 붙으며 새로운 형상을 만들어내기도 할 것이다.

사랑도 마찬가지다. 친구든 연인이든, 가족이든 시간이 지날수록 사랑은 조금씩 죽어가고, 또 새롭게 태어나길 반복할 것이다. 사랑이 죽으면 마음의 조각도 잃어버릴 수 있다. 마음의 조각을 잃어버린 대부분의 사람들은 과거의 행복했던 순간에 붙들린 채 오래 길을 헤맬지도 모르겠다. 그때의 영광이, 사랑이 다시 돌아오지 않을 것 같은 마음에 나아가지 못한 채 정체된 길 위에서 오래 울며 서 있을지도 모르겠다. 그러나 언제든 누군가 잃어버렸을지도 모를, 혹은 그 사람만을 위한 새로운 조각이 그를 기다리고 있을 것이다. 그러니 서두르지 말길. 한 번의 사랑이 영원의 사랑이라고 과신하지 말길.

제주의 하늘은 참으로 입체적이다. 마치 목화솜이 물 위에 둥둥 떠다니는 것 같다. 애니메이션보다 더 애니메이션 같은 풍경을 볼 수 있는 곳이 제주인 것 같다. 황홀하게 저무는 금빛의 하늘을 바라보던 우리는 다시 조금씩 내리기 시작하는 비를 맞으며 저녁을 먹을 곳을 찾아다녔다. 얼큰하고 따뜻한 게 먹고 싶어. 내가 말했고, 동생은 휴대폰을 켜더니 주변에 있던 식당을 찾는다. 다행히도 우리 두 사람이 모두 만족할 분식집을 발견했다. 4일 내내 동생의 입맛을 따랐다. 무엇이든 맛있게 먹는 나와 달리 편식이 심한 동생에게 선택권을 주었으나 동생은 늘 따지는 게 많다. 언젠가 동생에게도 누군가 잃어버린 식욕의 조각(?)이 쥐어지길 바란다.

#루나폴

종교가 있거나 미신을 믿는 편이 아니다. 공상과 상상 속에 빠져 있는 걸 좋아하고, 꿈에서는 수많은 여행과 모험을 떠났지만 내면 속에 오래 빠져 있는 편은 되지 못한다. 나는 감성적이지만 현실적이고, 요행보다는 정직한 쪽에 마음이 기우는 편이다. 그럼에도 불구하고 소원을 빌었던 적이 있다. 올 초에 떠났던 동생과의 부산 여행지에서였다. 비바람이 몰아치는 해동 용궁사는 그야말로 영화 속 장관을 보는 것만 같았다. 흐릿한 하늘 아래 희뿌연한 물보라를 일으키며 바위에 제 몸을 부수어대는 파도들이 압권이었다. 그곳에선 소원을 빌 수 있는 연등과 잎사귀 같은 것을 달 수 있었는데 전설에 따르면 반드시 한 개의 소원이 이루어진다고 했다. 당시 나는 기꺼이, 무엇이라도 소원을 빌고 싶었던 것 같다. 여행지에 오기 전까지만 해도 가벼운 마음으로 애인이나 생기게 해달라고 빌 작정이었지만 막상 거대한 바다를 코앞으로 마주하자 생각이 달라졌다. 그러니까 나의 본심은, 진정한 욕망은 사랑을 하는 것보단 작가가 되고 싶었나 보다. 나는 한치의 망설임도 없이 작가가 되게 해달라고, 문학을 더 사랑하는 사람이 되게 해달라고 소원을 빌었다.

소원이 이루어졌느냐고? 잘 모르겠다. 나는 여전히 사람들이 잘 알지 못하는 곳에서 글을 쓰고 있고, 남들에게는 '작가'라는 호칭으로 불리울 수 있는 소소한 타이틀마저도 없다. 내 글이 공개되는 곳은 오직 브런치스토리뿐이다. 그러나 문학을 더 사랑하게 된 것은, 향유하게 된 것은 맞는 것 같다. 문학을 더 재미있게, 많은 사람들과 즐길 기회가 있었고 나는 마음껏 글을 쓰고 책을 읽을 수 있었다. 봄과 여름 동안 행복하고 즐거운 시간을 보냈다. 잊을 수 없는 '여름휴가'를 다녀온 것만 같았다. 동생은 '루나폴'의 야경은 제주에서 알아주는 명소라고 말했다. 제주는 해가 지면 대부분의 가게가 일찍 문을 닫고 주변은 컴컴해졌다. 어쩌면 우리가 다녔던 곳들이 시내를 벗어나서인지도 모르겠다. 밤하늘 아래 별보다 더 빛나는 조명쇼를 볼 수 있는 곳. 생생하고 아름다운 자연의 맛을 느낄 수 있는 곳이라고 했다.

루나폴은 세계 최대 규모의 나이트 디지털 테마파크로 알려져 있다. 약 12만 평의 규모에 펼쳐진 화려하고 달콤한 조명쇼는 남녀노소 할 것 없이 한 밤의 산행에 설렘을 가져다 준다. 루나폴의 중심부에 다다르면 거대한 달의 형상을 볼 수 있는데, 이 달에는 한 가지 스토리가 담겨 있다. 달을 떠올리면 일반적으로 사람들은 소원을 비는 상상을 한다. 이곳에서의 달 역시 마찬가지다. 많은 이들이 달에게 소원을 빌어댄 탓에 부담을 느낀 달이 제주로 폭하고 떨어진 것에서 이야기가 시작되는데 중심 스토리를 바탕으로 미디어아트, 홀로그램 등 실감 나는 9개의 체험존이 구성되어 있다. 또 제주의 숲길을 걸을 수 있어 그야말로 청정자연을 한 몸으로 느낄 수 있다.

사실 체험존에 들어가기 전까지만 하더라도 별 기대가 없었다. 국내 홀로그램쇼를 많이 본 편은 아니지만 즐기는 편도 아니기에 (심지어 홀로그램 행사를 섭외하고 진행해 본 이력도 있기에) 예상 가능한 영역이었던 것 같기도 하다. 동생이 미리 예매해 둔 티켓을 발권하는 동안 나는 입구를 따라 길게 줄지어 있는 관람객들로 구경했다. 모두들 하나 같이 목에 동그란 달을 걸고 있었다. 조명쇼가 이루어지는 곳이다 보니 아무래도 어둠 때문에 발생한 사고가 빈번하기 때문인지 기념품 겸 달 조명 목걸이를 구매할 수 있었다. 실제로 안내요원들도 몇 번이고 천천히 조심해서 입장해 달라는 당부를 여러 번 반복했더랬다.

입장까지는 회차별로 제한 인원수에 따라 이동해야 했는데, 대기하는 동안 입구 중앙에 놓인 나무를 구경했다. 커다란 나무에 장식된 밀알 만 한 크기의 조명들은 마치 요정들이 잠시 쉬다 땀을 흘린 흔적 같았다. 여기에 몽환적인 배경음악이 큰 몫을 했던 것도 같다. 마치 몇 년 전 보았던 드라마 <호텔델루나> 속 촬영지를 연상시키기도 했다. 이토록 고요하고 화려한 밤의 즐거움이라니. 입구가 열리자마자 달의 조명을 든 요정(=진행요원)이 달에 얽힌 전설과 이야기를 풀어내기 시작했다. 당시에 무어라 이야기를 해주었었는데 사실 잘 기억에 나진 않는다. 내 기억 속에 선명한 건 색색의 조명이다 달 모양의 조형물을 향해 여러 그래픽을 쏘아 넣었던 풍경과 그에 어우러지는 진짜 풀벌레들의 노랫소리다. 순간 현실감이 조금 떨어졌던 것도 같다. 나는 숲길 위에 발을 딛고

서 있는데, 몸이 두둥실 떠오르는 듯한 기분이 들었다. 아마 이런 경험은 직접 가본 사람만이 공감할 수 있으리라. 동생 역시 기대만큼 만족스러운지 시종일관 입을 헤 벌린 채 눈앞에 띄워진 쇼에 집중하기 시작했다.

빛(루나 샤인)과 비(루나 레인)와 평화(루나 피스)를 지나 마음(루나 하트)으로 가는 길. 오색찬란하게 펼쳐져 있던 길을 따라 걷는 동안 선선해진 기온에 하루 동안 흘렸던 땀이 상쾌하게 씻겨 내려가는 것만 같았다. 거대한 달을 한 바퀴 비잉 돌아 다시 왔던 길을 되돌아가는 길에 마주한 달의 뒷면. 소원을 이뤄준다는 팻말을 보자마자 나는 홀린 듯이 다가갈 수밖에 없었다. 소원. 소원이라면 하하. 있지. 소원. 또다시 이번엔 공모전에 붙게 해달라는 소원을 빌 거라고 생각했지만 이번에 튀어나온 진심은 달랐다. 그러니까 내 진심은 .

'그 사람이 나를 한 번쯤 더 생각해보게 해 주세요.'

돌이켜보면 나는 늘 내게 주어진 기회를 일회성으로 생각했던 것 같다. 그래서 내게는 다소 충동적이고 급박한 태도가 배어 있었다. 이번이 아니면 할 수 없다고, 영영 놓쳐버릴 거라는 건 어쩌면 그간 내가 겪었던 생활에서 자연스레 배어 나온 형태인지도 몰랐다. 학교에서 장학금을 받아야 했을 때에도, 학부시절 공모전에서 수상 기회를 아쉽게 놓쳤을 때에도, 집안에서 벌어지는 크고 작은 사건에 휘말려 있을 때에도 기회는 늘 한 번이었다. 그래서였을까. 나는 단 한 번의 기회로 그 사람을 붙잡고 싶었다. 나의 세계에 영영 주저 앉히고 싶었던 것 같다. 사람마다 사람을 마음에 들이는 거리나 대하는 태도는 모두 다를텐데. 우리가 자란 환경이나 배경이 모두 다르면서 나는 늘 내게 주어진 기회를 놓칠까 전전긍긍했다. 이런 성격이 영 별로인 것은 아니었다. 덕분에 나는 내가 원하는 대부분의 것들은 스스로 손에 넣는 장력을 가질 수 있었기 때문이다. 나는 늘 선두에 서 있는 걸 선호했다. 어떤 사람들은 그런 내 성격을 숨 막히게 여겼고, 또 어떤 사람들은 부러워했던 것도 같다. 이제는 잘 모르겠다. 조금 지쳐버린 것 같기도. 마치 여행의 마지막 목적지에 다다른 것처럼 말이다.

여행을 하는 내내 그 사람을 생각했던 것 같다. 실은 이제야 고백할 수 있는 이야기가 있다. 여행 전날, 나는 용기를 내어 그 사람에게 연락을 했다. 이제 더 이상 그러면 안 된다는 걸 알면서도 친구로라도 지내고 싶다는 마음이 간절했다. 친구네 집에서 밤을 새워 수다를 떠는 동안 대학 친구들과 나눴던 얘기에는 이제는 그 사람에게 더 이상 연락을 하지 말라는 조언이 끊이질 않았다. 그 사람은 너 안 좋아해. 미련 같은 거 버리고. 그만둬. 너 이성적으로 판단 같은 거 잘하는 애잖아. 나는 알겠다는 답을 하면서도 자꾸만 마음 한쪽에서 종종 얼굴을 보고 지내고 싶다는 작은 바람이 피어오르는 것을 외면할 수 없었다. 무례한 줄 알면서도 자꾸만 말을 걸고 싶었다. 요즘 어떻게 지내는지, 잘 지내고 있는지 같은 그런 사소한 이야기들을 묻고 싶었던 것 같다.

여행지에서 다녀오면 얼굴 한 번 보자는 내 물음에 그는 알겠다고 답했고, 얼마 동안 나는 그것을 진심으로 믿었던 것 같다. 그도 나를 좋은 친구로 생각해 줄 거라는 희망이 있었다. 그래서 정말로 가을에, 붉게 물들기 시작한 낙엽이 떨어지기 시작하는 계절에 (모두가 말렸지만) 그에게 다시 연락을 하려고도 했다. 그러나 그것은 틀렸다. 늘 내쪽에서만 해대는 연락을 틀린 답이라는 걸 이제는 알겠다. 그 사람은 늘 예의가 바르고 싫은 소리를 못하는 캐릭터였다. 좋게 말하면 어진 사람이었지만 나쁘게 말하면 그건 내게 여지를 주는 행동이었다. 그 사람의 친절이, 선의가, 배려가 나에게는 착각과 오해를 불러일으킨다는 걸 이제는 알겠다. 그건 적어도 친구 이상의 관계에서는 좋은 태도가 아니었다. 그 사람의 좋은 성정이 내게는 매번 상처이자 독이 될 거라는 걸 이제는 알 것 같다. 여름 동안에는 손톱만 한 희망에 마음이 이리저리 흔들렸지만 나는 이제 그 사람이 포기가 된다. 여행을 다녀온 뒤, 강변을 따라 달리기를 하던 어느 밤에 나는 얼굴을 일그러뜨리며 엉엉 울었다. 그때 흘렸던 눈물에 '포기'라는 단어가 조금씩 흘러나왔다. 이제는 정말 알겠다. 나의 첫사랑이 이렇게 허무하게 끝나버렸다는 걸. 모든 것이 나의 착각이고 환상이었다는 걸 말이다. 루나폴에서 보았던 달의 환영처럼 말이다. 그 황홀함의 감각은 오로지 나 한 사람의 것이었다. 나 한 사람만 주고받은 것이었다.

그 밤에 거대한 달에게 빌었던 은밀한 소원이 있다. 나는 그 밤에 그 사람의 사랑이 아닌 내 사랑을 빌었다. 사람들에게는 '그 사람보다 더 좋아지는 사람을 만나게 해달라'고 빌었다고 거짓말을 했지만 실은 어딘가에 소원을 빈다는 건 허무맹랑한 이야기니까. 나도 허무맹랑한 소원을 빌었다.

'그 사람이 나를 다시 한번만 더 생각하게 해주세요.'
'다음에 나를 또다시 마주하게 된다면 그 사람이 나를 붙잡게 해 주세요.'

그런 소원을 빌었어. 그리고 그제야 루나폴에 불시착한 달의 마음이 조금 이해가 되기도 했다. 모두들 달을 발견할 때마다 나처럼 이런 허무맹랑하고 불가능한 소원을 빌지 않았을까. 그렇게 지구로, 제주로 조금씩 끌려온 달은 이제 거대한 잔디밭 위에 덩그러니 남아 있게 되었다. 요정들로 하여금 소원을 빈 사람들에게 작달막한 답신을 전해주며 언제고 다시 하늘 위로 올라갈 궁리를 하고 있을 것이다. 그러니까, 그 밤에 내가 전달받은 이야기는 바로 그것이었다.

'또다시 기회가 찾아올 거야. 그땐 서두르지 마.'

바닥부터 천천히 발을 떼기 시작한다. 질끈 묶어 둔 운동화 끈은 지면을 당기는 힘이 커질수록 나의 두 발을 힘껏 붙잡는다. 빠르게 들이마쉰 숨을 뱉으며 손을 앞뒤로 흔든다. 일부러 일으킨 바람이 머리카락을 스치고 지나간다. 평균 페이스 7.5. 일 평균 거리 9.4km를 기록하는 나의 러닝 히스토리다. 올봄 건강과 체력증진을 위해 시작했던 달리기는 어느새 내 삶의 중요한 가치로 자리 잡았다. 처음엔 30초를 연속해서 달리는 것도 쉽지 않았는데, 이젠 빠른 걸음으로 30분을 연속해서 달리는 것 정도는 식은 죽 먹기다. 달리기는 내가 서른에 맞이했던 새로운 경험 중 가장 오래 사랑하고 있는 일상의 루틴 중 하나다. 러닝머신보단 주로 한강을 달리는 걸 좋아하는데, 그렇다 보니 하나둘 러닝장비도 늘어갔다. 버킷햇부터 바람막이, 러닝팬츠, 러닝슈즈, 러닝백까지. 올가을엔 마라톤을 생각 할 정도니 말 다한 것 같다.

나는 달리기가 좋다. 달리기는 그 어떤 운동보다도 체중감량에 효과적이지만, 다이어트가 아니더라도 체력을 기르는 데 도움이 된다. 뿐만 아니라 멘탈 관리라곤 명상 밖에 하지 못하던 내게 달리기는 가장 동적인 정신 수양법이기도 하다. 목구멍까지 차오르는 가쁜 숨과 몸 밖으로 튀어나올 듯 빠르게 뛰는 심장, 가만히 서 있어도 줄줄 흐르는 땀. 이

삼박자가 제대로 맞아떨어질 땐 내 마음을 괴롭혀 오던 다른 생각들은 모두 잊게 된다. 이를 테면, 회사에서 사람들로 받는 업무 스트레스 같은 것들. 달리기는 중독이 된다. 한번 러너스 하이에 중독된 사람들은 그때의 희열을 잊지 못해 자꾸만 한강으로 달려 나온다. 마음을 시원하게 씻겨 주는 아이돌 음악을 들을 때는 힘차게 달리고, 가끔 멜랑꼴리한 기분이 들 때면 유명 발라더의 노래를 듣는다. 산책을 나온 귀여운 강아지들을 마주할 때는 인디밴드의 음악을 듣기도 한다. 그러니까 나에게 달리기는 운동이기 이전에 마음의 휴식, 한강변에 비친 내 머릿속 생각들을 반추할 수 있는 유일한 장소이기도 한 것이다.

다음날 아침에도 한라산을 오르는 일은 실패했다. 전날보다 기상상황은 더 악화되었고, 당초 진달래 대피소까지 입산이 허용되던 지침은 세수를 하는 사이 전면 통제가 되었다. 여행 내내 비가 따라다녔다. 이동할 때마다 비구름이 함께했고, 그나마 다행인 것은 막상 목적지에 도착하면 비가 멎었다는 사실이다. 운이 좋았다고 생각한다. 이른 아침부터 등반을 계획하고 있었으니 막상 일정이 틀어지자 동생과 나는 이른 아침부터 할 일이 없어 숙소에서 각자의 시간을 보내며 빈둥거렸다. 창 밖으로 쏟아지는 일정량의 비를 가만히 보다가, 각자 좋아하는 노래를 번갈아 재생하며 듣기도 했고, 숙소 근처의 맛집이나 관광지를 찾아보기도 했다. 전날 일정이 타이트했던 데다 우리 두 사람의 미간 사이로 아직 피곤의 기운이 가시지 않았기 때문에 더욱더 늦장을 부릴 수 있었던 것 같다.

스누피가든을 내게 제안한 쪽은 동생이었다. 아침도 거른 채 침대에 누워 한참 동안 휴대폰을 들여다보던 나는 사실 오늘은 성산일출봉만 봐도 좋겠다는 생각을 넌지시 했던 것 같다. 본격 무계획 여행. 오늘은 기필코 흑돼지를 먹겠다는 생각 정도가 뚜렷한 목표였달까. 그런 가운데 동생이 추천한 여행지는 꽤 구미가 당겼다. 숙소에서는 제법 멀리 떨어져 있는 듯 보였지만 전날 무민랜드에서의 시간이 촉박해 아쉬움이 남기도 했기 때문이다. 더 이상 고민하고 있을 게 아니었다. 우리는 자리에서 벌떡 일어나 바로 짐을 챙겼다.

스누피가든은 미국의 유명 만화이자 애니메이션 <더 피너츠>에 등장하는 캐릭터다. 일반적으로 사람들이 생각하는 캐릭터는 흰둥이처럼 귀여운 강아지. 맞다, 그 캐릭터가 바로 "스누피"다. 스누피는 <더 피너츠>의 주요 인물인 찰리 브라운의 반려견이기도 하다. 애니메이션을 탄생시킨 작가의 실제 반려견에서 모티브를 따왔다고 하니, 작품 속에서 찰리가 스누피를 아꼈던 마음은 허구의 세계에서도 어쩌면 실제한 감정인지도 모르겠다. "스누피"라는 캐릭터를 떠올리면 "순수함"이 따라붙는다. 뿐만 아니라 관람객으로 하여금 훈훈한 마음을 나누고, 상상력까지 풍부해 존재 자체만으로 웃음이 지어지는 캐릭터, 여기에 호기심이 많은 데다 씩씩한 성정까지 더해져 어린시절 많은 이들의 사랑을 받았다. 스누피는 늘 도전하는 캐릭터다. 그렇지만 스누피의 도전은 늘 결실을 맺지 않는다. 이를 테면 스누피가 작가를 꿈꾸며 써내려갔던 글들은 한 번도 출간된 적이 없으며, 조종사를 꿈꾸며 몰았던 비행기는 늘 실패에 이른다. 스누피가 느끼는 행복은 모두 스누피의 상상 속에서만 발현되는 것이다. 후에 작가는 인터뷰를 통해 "현실세계와의 관계성"을 역설하고자 했다는 의견을 내비치기도 했다.

스누피가든은 크게 하우스가든과 야외가든으로 이루어져 있다. 만화 속에 등장했던 애니메이션 특유의 나른하고 따뜻한 감성이 전시존 곳곳을 채우고 있었다. 각각의 포토존을 따라가다 보면 실제 <더 피너츠>에 방송된 명대사들을 발견할 수 있다. 여러 번 곱씹게 되는 대사들은 어쩌면 <더 피너츠>가 어린이들의 순수함을 지키기 위함으로 만들어진 애니메이션은 아님이 느껴진다. 한편으로 찰리 브라운과 스누피가 주고받는 일련의 눈빛과 대화는 어른들로 하여금 관람객들을 현실과 동심, 그 어딘가로 데려다 놓는다.

스누피가든을 둘러보는 동안 마음속에 박히는 표현들이 많았다. 웃는 것만큼 행복한 건 없다는 샐리의 말도, 잊어버리는 것이 항상 나쁜 것이 아니라는 찰리의 말도. 난 정말 사랑이 뭔지 모르겠다는 말도, 비밀을 갖는다는 건 참 멋진 일이라는 스누피의 표현도 말이다. 그를 좋아하는 일도 내게는 비밀과 같은 일이었다. 처음 그를 마주할 당시에 나는 나와 마주치는 모든 이성에게 애쓰는 사람이었다. 그때 나는 내가 진정으로 사랑하는 사람을 기다려야겠다는 운명을 믿기보단 기회를 잡아야겠다고 생각했다. 그때 내겐 사랑이 필요했기 때문이다.

올봄, 나는 사랑을 갖고 싶었다. 짧은 시간에 모든 걸 알고 싶었다. 작년 겨울, IP 프로덕션과 로맨스가 주된 장르인 작품을 작업하면서 나는 제작자로부터 '진짜 사랑'을 알지 못한다는 이유로 모멸감을 느끼는 모진 말들을 들어야만 했다. 작가가 보낸 원고를 최소한의 윤문과 교정 교열로만 마무리 짓는 출판계와 달리, 웹툰/영상화를 목전에 둔 제작사는 작업 환경부터 달랐다. 늦겨울에 시작해 다음 해 늦가을까지. 원고는 계속해서 수정 되었다. 내 실력이 부족했을 거라고 생각한다. 현실과 이상 사이 진짜 연애란 어떤 것인지, 진짜 사랑이란 어떤 것인지 몰라서 그런 결과로 이어졌을 거라고 생각한다. 여러 번의 시놉시스와 스토리라인을 수정하다 어느 날 문득 나는 회의실에서 술을 마시며 나와 대화를 이어가려는 PD의 태도에 작가가 되고 싶다는 간절함으로 참고 견뎌왔던 '포기'라는 단어를 입에 올렸다. 세 평 남짓한 회의실에서 그녀는 내게 붉은 와인의 향취에 취한 채 자신만의 애정론을 어필하기 시작했다. 내 얼굴에 닿는 그녀의 숨결엔 알코올 특유의 코를 찌르는 냄새가 달라붙었다 사라지곤 했다. 그들이 원하는 대로, 원하는 방향에 맞게 스토리라인을 전면 수정하다 보니 당초 내가 구성했던 내용과 완전히 다른 이야기가 되어가고 있었다. 그래도 나는 좋았다. 나는 그들이 나를 "작가님"이라고 불러주는 그 아무것도 아닌 타이틀이 좋았다. 그러나 그날 나는 무언가 단단히 잘못되어 가는 것을 깨달았다.

작품이 엎어진 뒤 나는 과거에 붙잡힌 채 수없이 많이 생각했다. 내가 만일 사랑을 잘 알았다면, 영화나 드라마에서나 볼 법한 뻔한 클리셰 말고, 진짜 사랑을 알았다면 그때 엎어졌던 작품의 결말은 달라질 수 있었던 것 아닐까. 나는 작품 속에서 늘 새드엔딩을 쓰곤 했다. 사랑 이야기든, 회사 이야기든 내 작품은 늘 우울했고, 주인공은 현실의 벽 앞에서 고난을 헤쳐나가지 못했다. 나는 그게 진실이라고 생각했다. 뜬구름 잡는 설정과 희망 섞인 플롯은 되려 독자로 하여금 화만 키우는 것일 거라고 생각했던 것 같다. 그렇지만 사랑은 달랐다. 내가 경험하지 않은 이야기. 철저하게 자료와 인터뷰를 통해 그들의 심리와 마음을 알아야 했고, 내게는 늘 시나리오가 있었다. 사람들의 행동 양상이 내 시나리오대로 움직일 거라고 나는 단단히 착각했고, 나와 전혀 다른 성향이었던 그는 수많은 이들 중 유일하게 내가 다져놓았던 마음의 궁전을 모래성처럼 쉽게 허물어버렸다. 사랑에 노력 같은 건 중요하지 않았다. 사랑을 지속하는 데 노력이 필요할지 몰라도, 사랑의 시작에는 늘 운이 따라야 했다. 어쩌면 그걸 두고 "운명"이라고 부르는 것인지도.

아무나 좋아해 버려야겠다고 작정했던 때가 있다. 그러니까 내가 필요했던 사랑은 감정을 묘사하는데 도움이 될만한 경험이었다. 만일 돈을 주고 사랑을 살 수 있다면 나는 사랑을 사고 싶었다. 그렇게 나는 한때 모든 이성에게 애썼다. 일부러 다음을 약속했었다. 호감이 생겼다는 말, 관심 있다는 말을 거짓으로 뱉는 것은 쉬웠다. 그 마음이 거짓일수록 더 빠르게 뱉을 수 있었다. 내게 사랑을 논했던 낭만객들 역시 나와 비슷해 보였다. 날 진정으로 사랑하지 않으면서, 날 좋아하지 않으면서 퍽이나 달콤하고 음흉한 말들을 내뱉었으니까. 나는 그 감정에 속지 않으려고 부단히 애썼다. 그 말들을, 나는 믿지 않았다. 믿을 수 없었다. 그렇게 나는 여름이 되기도 전에 쉽게 지쳐버렸다. 무엇보다 쉽지 않았어, 솔직히 말하면 정말 힘들었다. 일하는 것보다 질릴 정도로 힘들었어.

많은 사람들을 만나면서 그를 좋아하기 시작했다는 감정을 본격적으로 깨달았던 건, 더 이상 그와 연락을 주고받지 않을 때부터였다. 비밀을 갖는다는 것. 내가 그를 좋아하기 시작했다는 사실은 어쩌면 내 스스로에게마저 비밀이었는지도 모른다. 나는 내가 누군가를 나보다 더 많이 생각하게 될 거라고 생각해 본 적이 없었다. 그러나 나는 언젠가부터 그의 미래와 나의 미래를 평행선에서 맞닿은 선분처럼 겹쳐보기도 했었다. 이야기를 나눌수록 더 많은 이야기를 나누고 싶었다. 그러다 어려움이 생기거든 함께 헤쳐나가 보고 싶었다. 많은 경우의 수를 생각했다. 어쩌면 그와 나는 태생적으로 어울리지 않는 사람일지도 몰랐다. 그렇지만 모든 불가능성을 뛰어넘어 조금만 더, 조금만 더 인연을 이어나가고 싶었다. 그가 어떤 사람이었는지, 내게 어떤 얼굴을 보여주었는지, 지금은 무슨 마음인지 알면서도 모르겠지만 이제 나는 그 모든 것들을 비밀로 묻어버리려 한다.

요즘도 길을 걷다 사색에 잠길 때마다 그와 나눴던 대화나 그날의 일에 대해 곰곰이 생각해보곤 한다. 그러다 보면 내가 미숙해서, 어리석어서 관심 있는 이에게 해서는 안 되는 너무 솔직한 심경까지 털어놓은 것이 실수는 아니었을까, 하는 생각을 하기도 한다. 작품이 엎어진 후에야 사랑의 정의와 본질에 대해 다시 한번 들여다볼 수 있었듯, 나는 그를 통해 내 사랑의 결점을 반추하며 채워나갈 수 있었다.

비는 소나기처럼 쏟아지다 그치기를 반복했다. 변덕스러운 날씨만큼이나 나는 내 마음 역시 서서히 움직이기 시작했다는 사실을 깨달았다. 처음엔 그 사람이 아니면 안 될 것 같은 아쉬움이 머릿속을 지배하고 있었지만, 그에 대한 내 마음이 점점 흐려지고 있다는 것을 느꼈다. 그걸 원해서 떠난 여행이었지만 막상 한 시절을 가득 채웠던 비밀스러운 추억들이 옅어지자 그게 슬퍼서 내 마음을 자꾸만 들여다보고, 또 들여다보았다. 그리고 깨닫게 된 것. 역시나 세상에 영원한 건 없어.

나는 이제 그를 내 마음속에서 완전히 놓아주려 한다.

#성산일출봉

나는 지금 끝도 없는 계단을 오르고 있다. 내리막길이라곤 중력의 힘에 못 이기는 척 돌계단을 따라 끌어내려지는 바람뿐, 이마부터 머릿결을 타고 흐르는 땀은 곡선으로 떨어져 내리고, 잠깐 뒤를 돌아보는 사이 먹구름이 지체 없이 이쪽으로 오고 있다. 나는 오늘 끝을 꼭 봐야겠는데, 운명은 나를 자꾸만 밀어내려 한다. 이제 그만하면 됐다고, 올해에 정상에 오르는 건 그만 포기하라고. 나는 잠깐 시계를 보다 고민에 빠진다. 다음에 내가 이곳을 다시 찾을 수 있을까? 그때의 마음이 지금과 같을까? 다시 정상을 올려다본다. 희끄무레하게 비치는 사람들의 손짓에 묘하게 승부욕이 발동한다. '일출'이 너, 뭐 대단한 신도 아닌 주제에 나한테 오늘 잘못 걸렸어. 내가 누구냐 하면, 어디서 지고는 잠을 못 자는 지구 최강의 승부사거든.

"누나, 좀만 쉬자."

동생의 포기 선언이다. 군대를 제대한 지 이제 2년 차, 나보다 체력이 튼튼하니 뭐니 헛소리를 지껄여대더니 오프 때마다 평균 10km는 거뜬하게 달리던 이 누나의 체력보다 영 못한 것 같다. 어쩌면 성산일출봉을 오르기 전 배부르게 먹었던 흑돼지와 두 잔의 막걸리 때문인지도. 햇빛이 점점 구름에 가려져가는데, 동생의 얼굴은 구운 감귤마냥 벌겋게 익어 있다. 동생은 나보다 한참 아래에서 제 다리만 한 길이의 장우산을 지팡이 삼아 헥헥대며 계단을 올라왔다. 나는 자꾸만 뒤를 돌아 너머의 하늘을 바라다본다. 스누피가든에서 성산일출봉까지 이동하는 동안에만 하더라도 비구름이 뒤따라오고 있었다. 제주의 날씨는 참으로 변화무쌍하다고 하더니. 흑돼지를 먹을 때만 하더라도 해가 쨍쨍했는 데 입장권을 예매하기 전 사 먹었던 '우도 땅콩 아이스크림'이 녹아내리는 속도보다 비가 빠르게 전진하고 있었다.

"곧 비가 올 것 같아. 심상치 않은데, 그것도 많이 올 것 같아."
"비 오면 내려가면 되지."
"내려가면 목표를 달성하지 못하는 거잖아.
봐, 정상에 오른 사람들이 부럽지도 않아?"
"누나, 그럼 다른 걸 보러 가면 되잖아."
"내가 원하는 건 다른 게 아니야. 지금 여기지."

그럼 넌 천천히 올라와. 우리 개인플레이하자. 나는 내 가방에서 물병을 꺼내 동생에게 던지듯 건네고는 휙 하고 몸을 돌렸다. 아직 숨이 차진 않았다. 다만 천재지변 때문에 내가 원했던 풍경을 보지 못하게 될까 조급한 마음에 숨이 막혔다. 원래부터 그랬던 것 같다. 욕심이 많은 편은 아니라고 생각하지만, 나는 어릴 때부터 내가 원하는 것, 나의 목표가 뚜렷한 사람이었다. 늘 변수까지 계산하여 치밀하게 준비하는 것은 나의 특기였지만 그것이 늘 성공하는 것은 아니었다. 성공의 수보다 실패의 수가 더 늘어갈수록 목표는 더 간절해졌고, 그건 때로 내게 불안과 불면을 유도하기도 했다. 나의 이런 성격이 유독 독이 되었던 건 학부 재학 시절 때였다

운이 좋게도 원하는 전공, 원하는 학교에 입학할 수 있었다. 복이 있게도 전공 수업과 과제는 나와 적성에 맞았다. 재미도 있었고, 성취감도 있었다. 학년당 정원이 40명 내외였던 학교에서 나는 늘 상위권이었다. 이야기를 읽고, 쓰고, 분석하고, 비평하고 다른 장르의 스토리나 콘텐츠로 변주하는 일들은 내게 놀이와 동시에 배움이었다. 학교를 다니는 동안 나는 "도서관"이라는 드넓은 우주에서 이곳저곳을 헤엄쳐 다니면서 나의 세계를 넓혔다. 나는 제법 성실한 학생이었고, 내게 주어진 일들을 열심히, 그리고 (성적으로 말할 수 있다) 잘 해내는 편이었다고 생각한다. 그래서였을까. 나는 나보다 실력이 좋은 친구들을 한눈에 알아봤다. 그때 나는 건강한 경쟁을 해야 한다는 생각보다는 불안의 늪에 점점 빠져들었다. 내가 갖지 못한 능력을 가진 친구들을 쉽게 질투했으며, 그들로부터 나의 성과를 비판받을 때면 탐구를 계속하기보단 나를 쉽게 자책하고 자격지심을 가지곤 했다. 때로 사회적 이슈, 시의성, 트렌드의

영향을 많이 받게 되는 예술 분야 특유의 딜레마, 대중의 평가를 받아야 하는 전공 특성상 수업에 대한 리뷰와 평가는 대부분 선후배와 동기들이었는데, 그때 나는 내 작품을 발표하는 일을 좋아하면서도 전날 많은 걱정을 하곤 했다. 때로 동기들 앞에서 있으면 나는 내 인간성을 의심받는다는 기분이 들기도 했다. 더 나은 방향으로, 좋은 쪽으로 가자는 친구들의 피드백은 (그들 역시 아마추어였으므로) 정제되지 않은 채 날카로운 창이 되어 나의 말랑한 마음을 찢어놓았고, 나는 쉽게 고꾸라졌다. 그런 날이면 잠이 오지 않았다. 나는 내 스스로를 엄격하게 검열했고, 내 마음을 꽉 조이곤 했다. 방 안에 누워 있으면 벽의 사면이 무너져 가는 듯한 불안과 어지러움이 동반되었다.

수력발전소와 너른 들판을 지나 도착한 성산일출봉. 택시에서 내리기도 전에 거대한 장관이 눈앞에 펼쳐졌다. 마침 하늘은 맑게 개이고 햇빛이 났다. 그러나 언제고 비가 다시 내릴지도 모른다는 불안에 동생을 삼각대 삼아 사진을 찍고 주변을 둘러봤다. 오후 3시가 다 되어가도록 아침은커녕 점심도 챙겨 먹지 못했기 때문이었다. 오늘은 기필코 흑돼지를 먹어야겠다고 결심하며 (깔끔 떨고 까다로운) 동생이 찾은 식당에 방문했다. 이미 점심을 한참 넘겨서 그런지 가게 내부에서는 아무도 없었다. 종업원 둘과 주인 할머니 한 분이 가게 안쪽으로 들어오는 우리를 보더니 반갑게 맞이해 주셨다. 우리는 마주 보고 앉아 메뉴판을 보았고, 평소 고기를 자주 먹는다거나 즐기는 편이 아니기에 동생이 주문하는 대로 기다렸던 것 같다. 이어 막걸리 세 병을 주문했다. 우도 땅콩 막걸리와, 감귤 막걸리와, 한라봉 막걸리였던가. 우리 집 사람들은 모두 알쓰인데 둘이서 제주의 술맛(?)을 한 번은 보아야 되지 않겠느냐며 호기를 부린 것이다. 아마 내가 남기는 게 조금 눈치가 보여 네 잔 정도 마시고, 동생은 두 잔? 정도 마셨던 것 같다. 흑돼지는 꿀맛이었다. 해물 된장찌개에 밥을 쓱 비벼 밑반찬과 함께 한입, 그리고 육즙이 좔좔 흐르는 고기를 한입, 깻잎쌈을 싸서 한 입, 무쌈을 싸서 한 입. 엄청난 가격만큼 진짜 꿀맛이었다. 동생과 나는 배를 땅땅 두드리며 식당을 나왔다. 나오는 길에 또 아이스크림 가게에 들러 우도 땅콩 아이스크림을 하나씩 먹고, 입장권을 구매했다. 그때까지만 해도 멀리서 본 성산일출봉의 정상을 오르는 일이 그렇게 땀을 흘리게 될 거라고 생각하지 못했다. 한라산이라면 몰라도, 성산일출봉은 사실, 완만하게 보여서 그런가(?) 솔직히 만만해 보였다.

성산일출봉은 제주에서 어렵지 않게 발견할 수 있는 오름 중 하나로, 보통의 오름과 다른 점이 있다면 마그마가 물속에서 분출하면서 만들어졌다고 한다. 그러니까 화산이 폭발했을 때 분출된 마그마가 온도가 낮은 바닷물과 만나 화산재 자체에 모이스처라이징 효과가 덧입혀진 채로 층을 이루게 되었다는 거다. 생성 당시에는 제주와 꽤 떨어져 있는 하나의 섬이었으나 시간이 흐를수록 모래와 자갈 같은 퇴적층이 쌓이며 현재와 같은 모습이 되었다고 한다. 성산일출봉의 유래는 말 그대로 오름의 모양이 마치 하나의 큰 성채를 닮았다 하여 붙여진 이름이었다. 정상에 오르면 너비가 8만여 평에 이르는 분화구를 볼 수 있다고 한다. 푸르디 푸른 장관 속에는 암석이 숨겨져 있다. 그런 지식을 차치하고서라도 오름에서 바라본 풍경은 제주의 10경 중 최고의 풍경을 자랑한다고 한다.

올라오는 동안 자꾸만 땀이 흐르고 몸에 열이 올라 입고 있던 옷이나 장신구를 하나씩 빼내기 시작했다. 우선은 걸치고 있던 가벼운 셔츠를 벗은 채 크롭탑만 입고 있게 되었고, 목에 걸고 있던 돌고래 목걸이를 가방 속에 집어넣었다. 돌고래 목걸이는 전날 밤에 장만한 것이었는데, 아마 지금쯤 성산일출봉의 수많은 계단 중 한 곳에 방치되어 있을 거다. 생수와 선크림을 번갈아 꺼내면서 잃어버렸다는 사실을 나중에야 깨닫게 되었다. 당시에는 뭘 꼼꼼하게 챙기고 할 틈이 없었다. 조금만 더 오르면 맑은 하늘 아래의 정상을 볼 수 있을 것 같다는 희망과 지체했다간 여기까지 온 보람도 없이 통째로 시간을 낭비하게될지도 모른다는 절망이 기분을 번갈아가며 바꿨기 때문이다.

다행히 쉬지 않고 빠르게 두 계단씩 오르며 도착한 정상. 올라가는 내내 종종 뒤를 돌아봤지만 정상에서 보는 장관과는 또 다른 풍경이었다. 맑은 하늘 아래 푸르른 녹음이 짙게 깔린 오름은 마치 어릴 때 들었던 보아의 <아틀란티스 소녀>가 떠오르는 싱그러움을 간직하고 있었다. 얼마 동안 나무 울타리에 몸을 기댄 채 너머의 풍광을 그 자체로 느꼈던 것 같다.

나도 모르게 좋다는 말이 입 밖으로 나왔다. 좋다는 말 밖에는 나오지 않았다. 숨을 들이마실 때마다 공기가 솜사탕처럼 달콤했다. 입꼬리가 절로 씨익하고 올라갔다. 정말 행복할 때만 나오는 웃음. 나는 허리춤에 주먹을 얹은 채로 뒤따라 올라오는 동생을 바라보았다. 동생 역시 정상에 오르자마자 나부끼는 바람에 이마에 맺힌 땀을 닦으며 밝게 웃었다. 좋네. 작고 둥근 목소리. 나는 동생의 손을 잡은 채(정확히는 팔목을 잡고 끌어올리듯) 조금 더 위로, 정상에서도 더 정상으로 데리고 올라갔다. 오름의 반대편에 올라서자 바다와 맞닿은 제주의 지형이 한눈에 들어왔다. 우리는 한참을 물결치는 바다와 고요히 흔들리는 억새를 바라보았다.

"근데 누나는 거의 거지꼴이 되어버렸구나."

사진을 찍어달라고 휴대폰을 꺼내는데 동생이 손바닥으로 내 정수리를 꾹꾹 누르며 말했다. 그러고 보니 올라오는 내내 물건을 하나씩 버리거나, 잃어버리거나, 벗어버리긴 했다. 뜨거운 햇빛 아래, 입고 있던 얇은 셔츠는 내가 가장 먼저 버린 것이었다. 이어 모자를, 팔찌를, 그리고 들고 있던 물품 중 필요 없는 쓰레기를 중간 쉼터에 설치된 휴지통에 버렸다. 정상에 도달하는데 어쩌면 얻은 것보다 잃은 것이 더 많다는 생각까지 들었다. 그렇지만 난 오늘 이곳의 정상에 오르고 싶어 했잖아. 이

걸 원했잖아. 순간 복잡미묘한 생각들이 머리를 스치고 지나갔다. 찰나에 하늘은 금세 어둑해졌다. 두터운 먹구름이 정상 위를 뒤덮기 시작했다. 톡. 톡. 떨어지기 시작한 비는 점점 폭우가 되어 거세게 쏟아졌다. 누군가 양동이로 물을 끼얹은 듯 빗방울은 맹렬한 기세로 우리 두 남매를 따라붙었다. 가방에서 겉옷을 꺼낼 정신도, 우비가 있다거나 우산을 준비했던 것도 아니었다. 바람 역시 거세게 몰아쳤다. (비실한) 동생은 휘청거리며 스누피 우산을 펼치기 시작했다. 그리고는 지 혼자 쓰고 내려가기 시작했다 (?) 결국 비에 쫄딱 맞은 채로 정상을 내려올 수밖에 없었다. 눈과 코와 귀로 빗물이 야유하듯 스쳐 지나갔다. 오래 내릴 비라고 생각했는데, 정상을 벗어나자마자 한참을 내려와 출구 가까이까지 내려왔을 때 비는 언제 내렸냐는 듯 다시 멈췄다. 허탈했던 것 같다. 허무했던 것 같다. 아마 그 사람과 어떤 결론이 났어도 같은 후회와 감정을 느끼지 않았을까. 사람 사는 건 결국 다 똑같을 텐데. 재밌다고 생각했다. 나는 크롭탑과 바지 사이 배불리 먹은 점심으로 인해 곡선으로 튀어나온 뱃살을 만지작거리며 소리 내어 웃었다. 동생은 누나가 본격적으로 미쳤다며 앞서 걸었고, 나는 그런 동생의 후드모자를 놓치지 않고 잡은 채 어깨동무를 하며 뒤따라붙었다.

"누나, 땀 냄새 나."

"너도 나."

뭐 이런 대화를 주고받으면서 말이다.

"그래도 시간과 마음을 들여 잘 온 거 같지?"

동생의 물음에 나는 옆에서 나는 수상한 냄새에 고개를 홱 돌렸다. 두 마리의 말을 탈 수 있는 체험존이 있었는데, 그곳에서 나는 말똥 냄새가 코를 찔렀고, 나는 고개를 절레절레 흔들며 도망치듯 출구 반대 방향으로 달려가기 시작했다. 날씨 때문에, 거리 때문에, 혹은 다른 무엇 때문에 이곳을 포기하지 않고 정상까지 오른 것은 올해 내가 한 결정 중 최고의 선택이었던 것 같다. 허탈했지만, 속상했지만 기억에 남았으니까. 느낀 것이 많았으니까. 그러니까 올해 여름휴가는 정말 즐거웠어! 다시 육지로, 다시 원래의 현실로 돌아가는 동안 나는 종종 뒤를 돌아보며 손을 흔들었다.

어느덧 제주에서의 마지막 밤. 여행지에서의 추억도, 고여 있던 마음도 모두 흘려보내야 하는 진짜 이별의 시간이 다가오고 있었다.

#한라산

여행 마지막 날, 동생과 나는 창밖으로 쏟아지는 비에 망연자실해 있었다. 설상가상으로 전날 알람을 잘못 맞춘 것인지 계획해 둔 기상시각보다 1시간이나 늦게 일어나 버렸다. 빗방울이 제법 굵어 우비를 입더라도 옷 안쪽이 푹 젖을 것만 같았다. 하늘이 몇 분 간격으로 번쩍, 번쩍이는 천둥과 함께 요란한 울음을 뱉었다. 도착한 문자메시지는 입산은 가능하지만 백록담까지 오르는 것은 통제된 지 오래였고, 가능한 최대 목적지는 진달래 대피소였다. 다른 건 다 포기해도, 한라산은 꼭 오르고 싶었는데. 속상한 마음에 괜히 동생에게 왜 잠든 나를 깨우지 않았던 것이냐고 툴툴거렸다.

"누나, 한라산 꼭 가고 싶어?"

"응, 한라산 때문에 여기 오는 거 결정한 거란 말이야."

"그럼 올라가지."

"위험하잖아."

"진짜 위험하면 하산하라고 연락 오겠지. 가 보자 한번.
바쁜 누님께서 시간 써서 여기까지 왔는데. 맛은 보고 가야지."

"괜찮을까?"

"내가 보기엔 오늘 누나는 한라산을 포기해도 괜찮지 않을 것 같아."

동생은 벌써 감귤 그림이 그려진 우비를 입은 채 우산을 들고 나를
기다렸다. 나는 세수를 하는 것도 잊은 채 대충 눈썹과 입술만 바른 채
로 숙소를 나왔다. 이른 새벽, 어스름하게 주변이 환해지는 시간. 주룩주
룩 내리는 비에 발을 내딜 때마다 운동화 안쪽으로 빗물이 스며드어오
는 듯했다. 양말은 이미 축축하게 젖은 지 오래였다. 우리는 미리 잡아둔
택시를 타고 성판악 코스로 향했다. 한라산에 가는 코스는 2가지가 있었
는데, 동생 말로는 성판악이 더 만만하다고 했다. 동생은 거의 10년 만
에 산에 오르는 나를 걱정하듯 체력 괜찮겠느냐는 질문을 여러 번 해오
곤 했지만 전날 성산일출봉에서의 일을 두고 더 이상 입을 열지 않았다.
오히려 가방에 한가득 짐을 챙긴 동생을 걱정한 사람은 나였다.

목적지에 도착할수록 빗방울의 세기는 점점 굵어졌다. 택시 지붕
위로 빗방울이 떨어지는 특유의 톡톡 소리가 내게는 곰이 발자취를 남
기듯 성큼성큼 땅 위를 짓누르고 있는 듯한 두려움으로 다가왔다는 뜻
이다. 택시 기사님 역시 우리 두 남매를 보더니 오늘이 여행 마지막날이
냐고 넌지시 물어왔다. 우리는 서로의 얼굴을 잠깐 마주 보다 고개를 끄
덕였다.

"보통 비 오는 날 산에 오르시는 분들은 여행 마지막날까지
버티다 포기하지 않고 올라가더라고요. 꼭 끝을 보려는
사람들이 그렇죠. 낮 되면 개인다고 하니까, 행운을 빌어요."

입구에 도착하자 괜히 긴장이 됐다. 화장실에 들렀다 나오는데 입구에서 담당 직원을 기다리고 있는 사람은 동생 한 명뿐이었다. 홀로 등산을 해본 적이 없던 데다, 동생과 단 둘이서만 산을 오른다는 것을 이전에도 생각해 본 적이 없었다. 게다가 날씨 때문에 주변에 누구도 없는 길을 올라야 한다니. (동생은 그저 내 옆에 있는 생물일 뿐, 내게 도움이 되지 않았다는 얘기다)

"여름이라 뱀이 한창 사나울 때에요. 조심해요.
길 잘 보고 다니고. 비 오니까 땅도 미끄러워요."

직원은 동생과 나를 보더니 다짜고짜 뱀을 조심해야 하고, 또 무엇을 조심해야 하고, 조심하고 피하고 하지 말라는 것들을 빠르게 읊조리기 시작했다. 주룩주룩 내리는 비를 온 몸으로 맞으며 직원의 말을 듣다 보니 잠깐 정신이 몽롱해졌다. 진짜 이렇게까지 오르는 게 맞을까? 꼭 이렇게까지 한라산을 가고 싶은 게 내 진짜 마음이었나? 이건 어제 성산일출봉과는 다른 거잖아. 최소 2시간은 올라야 한다고. 마음속에서 고민이 구름처럼 피어올랐다.

본래의 나는 위험한 일에 함부로 도전하지 않는다. 어렸을 때부터 그랬다. 안전을 추구하는 부모님의 성향을 고스란히 물려받았기 때문인지도 몰랐다. 사는 데 꼭 필요하지 않다면 굳이 나서 모험을 감행할 필요가 없다고 생각했던 것 같다. 그런 이유로 나는 어릴 때부터 시도해보지 않은 일들도 많았다. 그리고 그중에 하나가 내겐 사랑이었던 것 같다. 사랑을 하는 방법이나 사랑을 시작하는 데 있어 명확한 기준이나 가이드가 있는 것은 아니나, 적어도 나는 사랑에 확신이 생겨야만 시작할 수 있는 사람이었다. 그러니까 나에게 사랑은 '일'과 비슷한 수준인 것. 사랑을 통해 나는 분명히 내가 얻는 게 있어야 한다고 생각했다. 지는 싸움 같은 건 하고 싶지 않았다. 사랑에 함부로 이성을 잃거나 흐트러진 모습을 보이는 친구들을 볼 때면 겉으로는 걱정하는 척했지만 속으로는 한심하다고 생각했다. 그 시간에 자격증을 하나 더 준비하지, 그 시간에 과제를 한다면 장학금은 따놓은 당상일 텐데 하는 생각들. 어쩌면 그건 나의 결정을 정당화시키기 위한 최소한의 변명인지도 몰랐다.

하늘은 회색빛으로 물들어 있고, 물에 젖은 나무는 그림자를 잃었으며 잎사귀엔 물방울이 쉴 새 없이 떨어져 내렸다. 어떤 식물은 빗물에 제 몸을 견디지 못하고 꺾여 버렸다. 땅은 축축하고, 계단처럼 이어진 바위는 물에 잠겨 콸콸 소리를 내며 작은 소용돌이를 만들어냈다. 동생과 나는 그 길을 계속해서 올랐다. 신발이 물이 잠기지 않도록 두 손으로 바지의 끝단을 바짝 올린 채, 나아갈 수 있는 방향을 선택해 올랐다. 그 길의 선두에는 내가 있었다. 동생은 처음부터 끝까지 내게 길을 선택하라는 말만 남긴 채 한 걸음 뒤로 물러나 있었다. 우리는 한동안 아무런 말도 없이 산을 올랐다.

처음 30분은 하산하고 싶은 마음이 굴뚝같았다. 버겁게 내리는 비가 도저히 끝날 것 같지 않았고, 고개를 돌려 멀리 바라보면 가시거리가 측정되지 않는 안개만이 미래를 뒤덮고 있었다. 곳곳에서 풀숲이 흔들리는 소리와 야생동물들의 울음소리, 그리고 이름 모를 낯선 식물들은 나를 전혀 반가워하지 않는 것 같았다. 내려가는 것이 맞지 않을까. 처음부터 시작하지 않으면 위험한 일도 없는 거잖아. 아플 일도 없는 건데. 이게 뭐라고. 고요히 땅을 밟으며 올라가는 길. 부러진 나뭇가지와 엉킨 머리카락처럼 죽어 있는 뿌리가 잠긴 웅덩이 위로 둥둥 떠다녔다. 그때 처음 마주 오는 방향에서 등산객 한 명을 만났다. 그는 이미 목적지에 도착한 후 내려오는 듯 보였다. 가벼워 보였다. 어쩌면 중간에 포기한 것인지도. 그러나 나는 그가 끝까지 올라간 사람임을 알 수 있었다. 그는 웃고 있었다. 음악을 듣고 있지 않은데도, 두 손에 쥔 것이 아무것도 없는데도 비가 그의 두 뺨을 사정없이 내리치고 있는 와중에도 활짝 웃고 있었다. 그런 얼굴을 보니 나 역시 포기할 수가 없었다. 조금 더 시간이 지나 외국인 등산객 무리를 만났다. 그들 역시 웃고 있었다. 노래를 부르고, 길을 걷던 와중 지팡이를 한쪽에 치워둔 채 물을 튀기며 발재간을 부리듯 춤을 췄다. 낯선 멜로디의 이국적인 음악이 누군가의 주머니에서 흘러나왔다. 나는 계속해서 올라갈 수밖에 없었다.

한라산은 제주도의 중앙에 위치한 산으로 높이는 약 1,947m에 달한다고 한다. 한국에서는 제일 높은 산으로 유명하기도 한데, '한라산'이라는 지명 자체가 산이 높기로 유명해 정상에 서면 '은하수를 잡아당길 수 있을 것 같다'는 표현에서 유래되었다고 한다. 높이 때문인지 한라산은 늦봄까지도 정상에 눈이 쌓여 있는 모습을 볼 수 있다고 한다. 또 그 때문인지 한라산에서만 볼 수 있는 동식물들도 발견할 수 있다. 그날 나는 안전하게 산을 올라야 한다는 걱정 때문에 주변의 경관을 차근차근 둘러보는 여유까지 부리진 못해 아쉬웠지만 중간중간 푸르고 귀여운 순간들을 포착해 낼 수 있었다. 바위 아래에서 합창단을 꾸리듯 모여있는 이끼들이며, 뾰족하지만 부드러운 잎사귀를 지닌 고사리와 지난 가을에 쌓인 듯한 낙엽들. 잠깐 이어지듯 끊어지듯 완만한 평지엔 <이상한 나라의 앨리스>를 연상시키는 묘한 분위기의 식물군락이 숨겨져 있기도 했다. 그렇게 두 시간쯤 올랐을까, 마침내 결정을 해야 할 때가 왔다. 백록담까지 올라가는 것은 불가능했지만, 대신해 진달래 대피소를 오르기 전 '사라오름'으로 향하는 표지판을 발견했기 때문이다. 나는 조금의 고민도 없이 '오름'을 보러 가는 것으로 결정했다. 이만하면 충분하다는 생각이 들었기 때문이다. 숙소에서 출발하기 전까지만 해도 정상에 오르지 못해 발을 동동거리며 속상했는데 막상 산속에서 두 발을 딛고 있으니 더 이상 아쉽지가 않았다. 몸이 힘들어서가 아니었다. 그냥 마음이 그랬다.

　여름 동안 나는 사랑은 진탕을 봐야 한다고만 생각했다. '끝까지 좋은 사람으로 기억되고 싶은' 따위의 촌스러운 생각 따윈 진작에 버렸어야 한다고, 다른 친구들처럼 흑역사로 남을 만한 일들을 만들었어야 한다고 생각했다. 만약 그랬다면 이렇게 오래 주저앉아있지 않을 수 있었던 게 아닐까. 어쩌면 다른 결말을 맺을 수 있었던 것은 아닐까, 하는 생각을 수도 없이 했었던 것 같다. 그런데 이젠 잘 모르겠어. 여행이 끝난 후 두 달가량이 지난 지금, 이제는 조금 마음이 편해졌다. 웃으면서 가까운 이야기를 할 수 있을 정도로 마음이 회복되었고, 며칠 전엔 그를 만날 수 있는 마지막 기회를 놓쳐버렸음에도 생각보다 마음이 아프지 않았다. 그 마지막 기회를 두고, 나는 일부러 손을 놓아버렸다. 완전히 놓아버리기 위해서 또다시 애매한 마음을 나누면 안 될 것 같다는 생각이 들었기 때문이었다. 생각보다 괜찮았던 것 같다. 어쩌면 그날 내가 예상치 못하게 충분히 바빴기 때문일 수도. 운이 좋게도 새로운 사람들과 새로운 자극, 새로운 이야기를 수집하느라 그 사람을 생각할 겨를이 없었다. 또다시 미처 내 마음을 들여다보지 못한 것일 수도. 다행이었던 것 같다.

　마음이 점점 변하고 있음이 느껴진다. 여전히 나는 그 사람에 대한 좋은 인상만을 가지고 있지만 지난 시간 동안 커져 있던 마음이 조금씩 쪼그라드는 게 느껴져. 내가 생각했던 사랑이랑 석고상처럼 단단하고 불변의 물성을 가지고 있는 줄 알았는데, 마음이란 풍선 같은 모양이다. 자유자재로 늘어났다 작디작게 사라질 수도 있는 어떤 것. 그렇지만 결코 잃어버릴 수는 없는 것.

　우기의 산은 한 치 앞을 알 수 없어 아름답다. 벼랑 끝에 서도 그곳이 벼랑인 줄 알지 못해서 저 너머로 가는 길이 얼마나 크고 높은지, 그리고 얼마나 멀고 험한지 알 수 없으니 겁 없이 자꾸만 오르고 싶어진다. 짙게 낀 안개 사이로 오래된 소나무의 잔가지가 흔들리다 이내 다시 안내 속으로 숨는다. 나는 그날 머나먼 곳에 솟아 있는 백록담을 눈에 담지 못했다. 그렇지만 괜찮았다고 생각한다. 한 치 앞을 알 수 없어서, 그곳이 얼마나 험하고 먼 곳에 있는지 알 수 없어서 다음을 꿈꾸게 되었으니까. 산을 내려오는 동안 거짓말처럼 쏟아지던 비가 멎기 시작했다. 흐릿한 구름 사이로 햇빛이 나무와 잎사귀를 비추기 시작했다. 질퍽하던 땅이 마르고, 계곡은 다시금 졸졸졸 흐른다. 비를 피해 숨어 있던 동물들과 땅속에서 신음하던 벌레가 꿈틀대며 바깥을 향해 발을 내딛는다.

한 치 앞을 알 수 없었던, 도무지 알 수 없어 꿈만 같았던 4일 동안의 여행이 종료되었다. 그리고 온통 불안하게 흔들리기만 했던 내 마음 역시 천천히 제 자리를 찾아가기 시작했다.

#에필로그

이번 에세이를 기획하던 날을 기억한다. 어느 아침이었고, 당시 나는 머리를 식힐 수 있는 가벼운 여행 에세이를 읽고 있었다. 그때 나는 도저히 무거운 종류의 책을 읽어낼 수 없는 상태였다. 문자를 읽고 있어도 무엇을 의미하는지, 어떻게 읽어야 하는지 해석해낼 수 없는 상태. 괜히 감정의 늪에 빠지지 않기 위해 그때 나는 많은 일들을 벌여 놓았었다. 하루가 24시간으로도 모자랐던 것 같다. 무엇을 생각할 틈을 주지 않았다. 여행을 다녀와서도 그런 시간들을 보냈다. 외출을 하지 않는 날이 없었다. 마음이 허기질 때마다 사람을 만났다. 나는 늘 그런 사람이었다. 힘들 때면 일을 산더미처럼 쌓아놓고 퍼즐을 풀듯이 하나씩 해결해가는 사람. 그건 나를 성장시키고 마음을 단련시키는 유일한 방법이었지만 결국 본질을 회피하는 것이었다. 오래도록 그래왔다.

충분히 해낼 수 있을 거라고 생각했던 일들은 되려 나를 죄어오기 시작했다. 여름 동안 나는 고장난 기계처럼 삐걱거리기 시작했고, 일과 사람들 사이에서 쉽게 미끄러졌다. 무엇보다 지쳐 있는 상태에서 일부러 밝은 척, 힘들지 않은 척 하려는 내 모습에도 나는 점점 질리기 시작했다. 내 마음이 힘들다는 이유로 괜히 엄한 사람들을 괴롭혀댔다. 친하지도 않는 사람들에게 친구가 되자고 졸라댔고, 때로는 '나만 진심이

었다'라는 말을 무기로 각자의 삶을 살아야만 하는 사람들의 시간을 멋대로 훔치려 했다. 그렇게 사람들을 만나고 나면 남는 것은 공허함. 해가 질 때마다, 잠이 될 때마다 서늘함을 느꼈다. 금방 원래의 나로 돌아갈 수 있을 거라고 생각했는데 어떤 일들은 본질을 빗겨가는 것이 해결책이되지 않았던 모양이다.

오늘의 나는 이렇게 글을 쓴다. 글을 쓰고, 맛있는 것을 먹거나 운동을 하고, 사람들을 만나고, 사람들을 만나고 나면 주로 홀로 오래 걷는다. 벅찬 마음을 누르기 위해 많은 시간을 걷는데 할애한다. 걷는 동안 생각한다. 오늘 내 마음이 어땠는지. 지금 나는 얼만큼 괜찮아지고 있는지. 앞으로 얼마나 더 나아질 수 있고, 나아갈 수 있을지. 그렇게 걷다 보면 어느새 시간은 한참을 흘러 있고, 나는 목적지에 도착해 있다. 다시 집으로 돌아와 내 방 책상 앞에 앉는다. 책상 위에 올려져 있던 책들 중 마음에 드는 책을 골라 읽거나 방 안을 헤집으며 청소를 하거나, 버릴 물건들을 골라 내기도 한다. 지금 내게 무엇이 필요하고, 무엇을 정리할 수 있을지는 자주 생각해본다. 그렇게 나를 이해한다. 내가 어떤 사람인지, 또 어떻게 변할 수 있는 사람인지. '나'라는 사람이 한결같지 않다는 사실을 그렇게 깨닫는다. 그리고 무수한 계절에 만났던 사람들 역시 한결같지 않을 거라는 생각을 해 본다. 어제의 그가, 내일의 그와 다르다는 것을 이제는 알겠다. 그리고, 이젠 '사랑'이라는 감정이 어떤 것인지 조금은 알 것 같다. 구분할 수 있을 것 같다는 막연한 확신이 생겼다.

여행은 언제나 나를 변화시킨다. 매순간 '시간'과 '방향'이라는 갈림길 앞에서 나는 자주 선택을 해야만 했다. 누군가가 만들어 놓은 길을 따라가는 것이 아닌, 오로지 내가 결정해야 하는 일. 그 다음에 무엇이 있을지 가늠할 수 없어서 때로는 두려울 수 있고, 후회할 수 있는 일. 그렇지만 그렇게 나아가는 길이 싫지만은 않다. 어쩌면 여행은 '사랑'을 경험하는 일과 같지 않을까? 어느 쪽으로 가든 실패는 하지 않을 테니까. 첫사랑도, 짝사랑도, 그 무엇도 결국엔 다음 여행지를 위한 티켓이 되어 남을 테니까.

이렇게 나는 지난 시간 동안 내게 있었던 짧고 깊은 여행을 마친다. 진심을 다해 써내려갔던 기록 외에도 이곳에는 공개하지 않았던 더 많은 여행지와 만났던 사람들의 이야기가 생각난다. 들렸던 곳 중, 중학교와 고등학교, 대학교가 다닥다닥 붙어 있던 어느 동네에서 들렸던 책방이 기억난다. 그곳에서 나를 위로하듯 재밌는 이야기를 해주었던 할머니 이야기를 해주고 싶지만, 끝내 그건 나와 그녀만의 비밀로 묻으려 한다.

지금 내 손엔 새로운 티켓이 들려 있다. 언제 떠날 수 있을지, 어디로 떠나면 되는 것인지 '시간'도 '방향'도 알 수 없는 한 장의 티켓. 새하얗고 매끄럽게 코팅된 뻣뻣한 티켓의 감촉을 느껴본다. 고소한 잉크의 향내를 맡아 본다. 이젠 서두르지 않으려 한다. 지치지 않을 수 있는 긴 여행을 떠나고 싶다. 나의 다음 여행이 궁금한가? 이 글을 읽고 있는 당신에게 나의 다음 여행이 설렘을 가져다줄 수 있기를 바라며, 당신의 여행 또한 이상하고 아름답기를, 그리고 행복하기를 진심으로 바란다.

곽민주

2024년에 신춘문예에 단편소설
「인어의 시간」이 당선되어 작품활동을 시작했다.
에세이 「가늠할 수 없는 것」, 「사랑기」가 있다.
우아한 할머니를 꿈꾼다.
sibeewol@naver.com

첫사랑 때문에 제주에 갔었어

초판 1쇄 발행 2024년 10월 23일

지은이 곽민주(@fromsibeewol)
디자인 안지환(@jayfromseoul)
펴낸곳 스튜디오 한다스(@studio_handas)

ⓒ 곽민주 2024